Chère Lectrice,

Qu'y a-t-il de plus beau qu'un amour partagé?
La Série Amour vous raconte le destin de couples
exceptionnels, unis par le lien authentique du
mariage, amoureux, vivants, et parfois déchirés par
de soudaines tempêtes.
Duo connaît bien l'amour. La Série Amour vous
surprendra.

Amour : une série étonnante,
deux nouveautés par mois.

Marchand de fourrures sur la rivière
du Renard, au XVIIe siècle.

42.

Série Amour

JANE IRELAND

Fleur de tendresse

Duo

Les livres que votre cœur attend

Titre original : *Love notes* (48)
© 1985, Jane Ireland
Originally published by
THE BERKLEY PUBLISHING GROUP,
New York

Traduction française de : Marianne Savoye
© 1985, Éditions J'ai Lu
27, rue Cassette, 75006 Paris

1

Indécise, Gayle Weston se tenait debout au milieu du salon parmi les cartons éparpillés. Elle portait un jean délavé qui soulignait la perfection de ses formes et un chemisier vert que son époux, Steve, lui avait offert pour son dernier anniversaire. Quel serait le meilleur emplacement pour les meubles ? Où allait-elle ranger toutes les affaires qu'ils avaient emportées ? Préoccupée, elle se passa la main dans les cheveux. Courts et bouclés, ils encadraient son visage fin aux sourcils noirs.

Soudain, un petit bruit sec la fit sursauter.

— Allons, ma chérie, détendons-nous un peu.

Une bouteille de champagne à la main, Steve sortait de la cuisine. Adroitement, il remplit deux verres à pied de liquide doré.

— Dom Pérignon ? murmura-t-elle, abasourdie.

— C'est une surprise, n'est-ce pas ?

Il paraissait content de sa mise en scène et lui adressa un sourire plein de tendresse. Des mèches rebelles, blondes comme les blés, retombaient sur son front. Le regard sombre pétillait de malice.

— Tu m'as fait sursauter, assura Gayle, la main comiquement posée sur son cœur.

Une lueur d'étonnement éclaira les merveilleux yeux verts.

— Où as-tu trouvé cette...

Du menton, elle désigna la bouteille.

— Je l'ai apportée de Dallas dans ma valise. Tu te souviens ? C'est le Dr Davis qui me l'a donnée.

Le Dr Davis avait été son directeur de mémoire quand Steve était étudiant à l'université du Texas.

— Je la réservais pour une occasion particulière.

— Est-ce bien le jour ?

Gayle jeta un coup d'œil inquiet sur l'amoncellement de caisses qui encombraient la pièce.

— Absolument !

Comme s'il présidait un banquet, Steve leva son verre.

— A notre nouvelle vie ! A Madison, Wisconsin ! A notre nouvel appartement ! Et surtout, poursuivit-il d'une voix de gorge, à notre amour !

— A nous !

Gayle poussa un profond soupir. Quels que soient ses soucis ou son travail, Steve savait toujours s'accorder une pause pour se détendre. Aucun doute, il faisait bon vivre avec lui.

Ils trinquèrent. Puis il se pencha pour effleurer ses lèvres, juste assez pour lui donner l'envie d'autres baisers. Les yeux dans les yeux, ils burent une gorgée de champagne.

— Très bon, murmura-t-elle.

— Le meilleur pour la plus brillante assistante en botanique de tout le Wisconsin !

— Voilà qui reste à prouver !

La nouvelle avait plongé Gayle dans un état d'excitation intense : on lui accordait un poste d'assistante de recherche à l'université du Wisconsin, si renommée en botanique. Cette nomination signifiait qu'elle travaillerait en collaboration avec le Dr Kingsley Durant, l'un des savants les plus éminents du pays en ce domaine.

Bien que Gayle fût reçue première de sa promotion, elle avait peur. Elle avait obtenu sa licence en biologie dans une petite université du Missouri. Désormais, elle serait membre d'un établissement prestigieux aux centaines d'étudiants de haut niveau. Saurait-elle surmonter toutes les difficultés ? Perfectionniste dans l'âme, elle n'avait qu'un seul désir : que son mari fût fier d'elle.

Steve, lui, venait de décrocher brillamment sa maîtrise en économie. Parmi des dizaines de candidats qui préparaient leur doctorat, c'était lui qu'on avait choisi comme assistant d'enseignement.

— Te rends-tu compte de notre chance ? Obtenir un poste double ! Et à la faculté du Wisconsin par-dessus le marché !

Oui, la compétition s'était révélée féroce. Ils avaient posé leur candidature dans de nombreuses villes, avec l'espoir d'être nommés au même endroit. Rester ensemble était pour eux un impératif, car Gayle ne pouvait imaginer la vie sans Steve. Après un an et demi de mariage, elle sentait encore son cœur battre plus vite chaque fois qu'elle posait les yeux sur lui.

— Oui, en effet.

En son for intérieur, elle songeait surtout qu'elle avait de la chance d'être mariée à cet homme-là. Il était tout à fait séduisant ce soir dans son jean étroit et sa chemise marron dont les manches retroussées révélaient les bras bronzés. La couleur du vêtement soulignait celle de son regard par contraste avec la masse de ses cheveux blonds.

— Steve, je me demandais si nous n'avions pas commis une erreur en louant ce studio.

— Que veux-tu dire ?

— Il n'y a pas beaucoup de place pour ranger nos affaires.

Leur appartement se trouvait au troisième étage d'une vieille maison qui les avait séduits par la très belle vue que l'on avait sur Madison. Mais Gayle se disait tout à coup qu'ils auraient dû accorder plus d'importance à des détails pratiques.

Steve lui répondit par un large sourire.

— Eh bien, petite fleur, aurais-tu oublié que l'on peut justement vivre d'amour et d'eau fraîche ? Il y a des choses plus importantes que les problèmes de rangement.

Gayle lui jeta un regard attendri. Petite fleur : c'était ainsi que Steve l'avait baptisée. Depuis leur première rencontre dans la boutique d'un fleuriste à Dallas, il l'avait associée aux bouquets parmi lesquels elle travaillait. En tant que botaniste, la jeune femme appréciait beaucoup ce surnom.

— Peut-être, mais n'est-ce pas là une curieuse remarque pour un économiste ? remarqua-t-elle d'un ton taquin.

— Je ne suis pas un économiste quelconque.

— Comment le saurais-je ? Je n'en ai pas connu d'autres.

Elle était pourtant tout à fait d'accord avec lui. Personne ne ressemblait à Steve, l'amour de sa vie.

La nuit commençait à tomber. A travers la vitre, ils apercevaient les lumières de la ville. Steve éteignit le plafonnier.

— Que fais-tu ?

— J'essaie d'apporter un peu d'ambiance.

Avec un soupir de satisfaction, il s'installa confortablement sur le divan et termina son verre.

— Nous n'avons même pas fini de déballer nos affaires.

— Nous verrons cela plus tard, ma chérie.

Il tapota le coussin à côté de lui.

— Viens !

— Steve, vraiment, il vaudrait mieux...

Elle se sentit faiblir.

Tranquillement, il posa la flûte à champagne sur une caisse et mit en marche le magnétophone à cassettes. La mélodie d'une de leurs chansons préférées emplit aussitôt la pièce. Gayle le rejoignit. La tête appuyée au dossier, elle but une gorgée du liquide pétillant.

La main de Steve s'aventura alors sous le chemisier vert. Avec une infinie tendresse, il effleura la poitrine de la jeune femme qui frémit sous la caresse.

— Tu n'as vraiment aucune retenue, murmura-t-elle.

— Pas en ce qui te concerne.

Il lui enleva son verre vide des mains.

— Steve ?

Sans tenir compte de ses faibles protestations, il l'attira vers lui, de manière qu'elle reposât sa tête sur l'accoudoir du canapé. Ainsi installée, elle pouvait contempler le profil vigoureux qu'elle aimait tant. Peu à peu, elle se rendit compte qu'elle était légèrement grisée par le champagne. Avec douceur, elle suivit du bout des doigts le dessin de sa mâchoire carrée.

— J'ai un peu peur, Steve.

— Peur ? Mais de quoi ?

Préoccupé, il se pencha sur elle pour essayer de lire dans la pénombre le visage crispé de la jeune femme.

— De l'année qui m'attend à l'université. Je ne suis pas sûre d'être à la hauteur.

— Allons donc ! Tu t'en sortiras très bien !

Il lui serra l'épaule comme pour la rassurer.

— Crois-tu qu'on t'aurait attribué ce poste si l'on te jugeait incompétente ?

— Ils peuvent se tromper, après tout, chuchota-t-elle, soucieuse.

— Impossible ! Le recteur ne distribue pas des postes d'assistants à tort et à travers.

Elle se recroquevilla contre lui, dans la chaleur et la sécurité de ses bras.

— Tes craintes sont ridicules, ma chérie. D'ailleurs, toi et moi, nous avons mieux à faire.

De nouveau, il se pencha sur elle pour l'embrasser.

— Je sens un piège là-dessous !

— Peut-être bien.

Devant son sourire enjôleur, elle se sentit fondre.

— Tu veux en savoir plus ? murmura-t-il, malicieux.

Il la souleva puis s'allongea à ses côtés pour la serrer fortement contre lui.

— Steve ! Tu es un vrai diable !

Frissonnante, elle sentit sa large main se glisser sous la soie et remonter jusqu'aux rondeurs de sa poitrine. Elle vit le regard s'assombrir sous les paupières mi-closes. Il éteignit la lampe.

La pièce n'était plus éclairée que par les lumières de la ville. Les lèvres chaudes de Steve vinrent se poser sur celles de Gayle qui s'ouvrirent sous leur pression. Ils échangèrent un baiser passionné tandis que la jeune femme caressait avec délices la nuque blonde. Elle s'offrit à lui, toute au plaisir de leur étreinte. Ses doigts fins palpaient amoureusement le dos large et musclé.

En un instant, il retira le dessus de soie verte et le laissa tomber sur la moquette. Elle répliqua en déboutonnant la chemise brune. Troublé, il déposa de petits baisers légers sur sa peau satinée, le long du cou et des épaules rondes.

— Je t'aime, ma chérie. Tu le sais?

— Steve, promets-moi qu'il ne nous arrivera jamais rien.

— Que pourrait-il se produire pour nous séparer? Tu es toujours si anxieuse. Nous nous aimons. Personne n'y pourra rien changer.

Pendant un moment, elle fut totalement rassurée. Avec une ardeur renouvelée, il l'embrassa sur le cou, sur les épaules, sur la gorge. Une onde de chaleur irradia le corps de la jeune femme. Dans un désir enflammé, elle cambra le dos, se serra contre lui de toutes ses forces.

— Aime-moi, Steve. Maintenant.

De ses bras puissants, il la souleva et la porta jusqu'au renfoncement qui abritait leur lit. Avec précaution, il déposa son précieux fardeau sur la couche. Alors, sans cesser de l'embrasser, il l'aida à se déshabiller et se débarrassa prestement de ses propres vêtements.

Gayle retenait son souffle. Dans le clair-obscur du salon, il était superbe. La lumière qui provenait de l'extérieur jouait sur sa peau bronzée et mettait en valeur tous les muscles de son corps. Cet homme si beau, était-il vraiment à elle? La jeune femme ne pouvait y croire. Quand il s'allongea près d'elle, un soupir extasié lui échappa.

Avec plus de ferveur encore, il reprit ses caresses. Elle s'abandonna alors totalement à l'amour. Le temps n'existait plus. Rien ne comptait, excepté la passion qui l'unissait à Steve. Plus elle donnait, plus son plaisir était intense.

Une vague de sensations violentes, inouïes, les emporta vers les cimes jusqu'à une ivresse partagée.

— Oh ! Steve, je t'aime tant !

Haletants, ils revinrent sur terre. Gayle ouvrit les yeux pour découvrir un regard noyé qui la bouleversa.

— Mon amour !

— Oh ! Steve ! C'était si bon !

Éperdus et heureux, ils demeurèrent ainsi étroitement enlacés, deux amoureux seuls au monde.

Un peu plus tard, Gayle s'éveilla et se pelotonna contre le corps nu de Steve. Par la fenêtre, elle apercevait le dôme illuminé du Capitole. Paresseusement, la jeune femme se laissa porter par ses rêveries. Comment l'amour avec Steve pouvait-il être aussi varié, aussi riche ? Par quel miracle cet émerveillement se renouvelait-il à chaque fois ?

Il bougea légèrement.

— Tout va bien ? murmura-t-il d'une voix ensommeillée.

— Oui. Et puis non ! J'ai faim !

— Tu as faim de quoi ?

Avec vivacité, elle roula sur elle-même pour lui faire face. Appuyée sur son coude, elle scruta le visage de Steve ombré d'obscurité. Les yeux fermés, il souriait.

— J'ai envie d'un bon dîner. Que vas-tu imaginer ?

Elle se rapprocha de lui et lui mordilla l'oreille. Il souleva les paupières.

— Je voulais simplement m'assurer que ma femme était totalement satisfaite.

Il l'attira de nouveau contre lui.

— Je suis complètement, entièrement satisfaite et heureuse.

En même temps, elle ponctuait chaque mot de sa déclaration par de petits baisers sur la toison blond foncé de sa poitrine.

— Je meurs de faim, j'insiste.

Brusquement, il se mit sur son séant.

— Le premier sous la douche ! Ensuite, je t'emmène dîner quelque part.

— D'accord.

Avec enjouement, Gayle sauta sur ses pieds nus et se précipita vers la salle de bains. Bien entendu, il gagna la course et la reçut dans ses bras. L'eau ruisselait sur leurs corps, tandis que, bouche à bouche, ils s'étreignaient. Tout en riant aux éclats, ils se savonnaient mutuellement. Rapidement, ils se séchèrent et enfilèrent des vêtements propres. Quelques minutes plus tard, ils étaient dans la rue.

Main dans la main, ils se dirigèrent vers le centre de la ville. Il était près de vingt-deux heures et sur les trottoirs déambulaient des promeneurs attirés par la douceur de l'air. Ici et là, les musiques les plus variées s'échappaient des bars : reggae, rock, jazz, disco... Chacun avait sa clientèle attitrée qu'il était fort amusant d'observer dans sa diversité. Aux côtés de Steve, Gayle se sentait pleinement heureuse.

Ils finirent par découvrir un charmant petit restaurant italien au cadre rustique. Les cannellonis se révélèrent succulents et la jeune femme se montra d'un appétit féroce. Un magnétophone diffusait de la musique de Verdi et, de temps à autre, Steve mimait Pavarotti avec tant de justesse que Gayle pouffait de rire derrière sa serviette. Même les étudiants des tables voisines se mirent de la partie. Elle adorait voir Steve faire le clown. Il était plein d'humour et savait s'arrêter à temps pour ne pas lasser ou blesser l'auditoire. Vraiment, il était irrésistible !

Avec mélancolie, Gayle regretta une fois de plus de ne pas posséder un peu de cette aisance et de ce charme souverain qui faisaient de Steve un boute-en-train ou une autorité, selon la situation. Parfois, elle se demandait encore comment un homme aussi brillant, aussi séduisant pouvait lui appartenir, à elle. Une chose était certaine : depuis qu'ils étaient ensemble, elle était beaucoup plus ouverte qu'autrefois. Implicitement, il l'encourageait à suivre ses impulsions au lieu de les retenir, à être plus exubérante, plus libre. Au vrai, elle s'étonnait elle-même. Steve avait mis au jour un aspect de sa personnalité qu'elle connaissait mal : sa gaieté naturelle.

Enfin rassasiés, ils revinrent chez eux par le chemin des écoliers, en passant le long du lac Monona. On était à la mi-août. Déjà l'automne se faisait sentir dans la brise fraîche qui soufflait de la rive. Frileuse, Gayle se serra contre son époux qui aussitôt passa son bras autour de ses épaules. Jamais encore elle n'avait vécu dans le Nord. Comment supporterait-elle les longs hivers ici ?

Ils étaient en train de gravir les marches de l'escalier qui conduisait à leur appartement, quand une jolie femme blonde sortit sur le palier du deuxième étage. Elle portait un jean transformé en short ainsi qu'un débardeur rose qui mettait en valeur sa silhouette.

— Bonsoir ! Vous êtes les nouveaux venus, n'est-ce pas ? Je m'appelle Ingrid Hansen. Entrez donc un instant. Je vais vous présenter mes amis. Nous habitons tous ici.

Gayle eut une seconde d'hésitation en pensant au

désordre qui régnait encore chez eux. La soirée était déjà très avancée. Mais elle n'avait pas envie de laisser passer l'occasion de rencontrer leurs voisins. Elle jeta un coup d'œil interrogateur à Steve.

Il lui fit aussitôt un signe d'assentiment et la jeune femme se tourna vers Ingrid avec le sourire.

— Merci. Très volontiers, mais nous ne pourrons pas rester longtemps. Nous n'avons pas fini de nous installer.

Ingrid acquiesça.

— Oui. Emménager est toujours pénible.

— C'est pourquoi il est agréable de s'accorder une petite pause, dit Steve. Nous venons de faire l'école buissonnière. Après tout, une heure de plus ou de moins, quelle importance ?

— Vous avez raison. Entrez donc. Notre installation vous donnera peut-être des idées pour votre appartement.

Sur le seuil, Steve sourit à Gayle. Finalement, elle était contente qu'ils aient accepté cette invitation. Bientôt leurs soirées libres seraient comptées car un dur travail les attendait à l'université. Autant valait prendre du bon temps avant la rentrée. Impulsivement, elle saisit la main de Steve et la serra avec reconnaissance. Il savait décidément organiser tous leurs plaisirs. Elle le suivrait partout les yeux fermés.

2

Assis par terre, un jeune homme grand et mince, chaussé de lunettes se redressa dès qu'il aperçut le couple d'invités.

— Phil Tchekov, annonça-t-il en serrant la main de Steve. Rien à voir avec l'auteur célèbre, hélas.

— Steve Weston. Gayle, mon épouse.

— Si j'ai bien compris, vous venez d'arriver dans cette ville de fous ?

Steve eut un large sourire.

— Oui, nous venons de Dallas.

— Vous n'avez pourtant pas l'accent texan.

— En effet, je suis né dans l'Etat du Wisconsin mais j'ai vécu au Texas ces dernières années.

— Moi, je viens du Missouri, fit Gayle en guise de salutations.

— Ah bon ! J'ai des cousins à Sweet Springs.

— C'est la ville où je suis née, s'exclama-t-elle. Je les connais peut-être.

A ce moment-là, une jeune femme brune, petite, au teint olivâtre, entra dans la pièce.

16

— Voici Vera Bernstein, la troisième occupante de ces lieux.

— J'allais servir une infusion, dit Vera. En voulez-vous ?

— Volontiers, répondit Gayle aussitôt.

— Ou préférez-vous une bière, Steve ?

— Oui, je veux bien, merci.

Vera revint avec un plateau.

— Alors, qu'est-ce qui vous amène dans le Nord, Gayle ?

— Elle a entendu parler de notre dur climat et envisage de vendre de la neige aux Texans pendant l'été, plaisanta Phil.

— Nous sommes ici à cause de la réputation de l'université du Wisconsin dans nos domaines respectifs. Nous avons eu la chance d'obtenir un poste double : Steve comme chargé de cours en économie et moi comme attachée de recherche en botanique.

— Les dollars provenant de la vitamine D et de la mort-aux-rats servent au moins à quelque chose, lança Vera d'un ton sarcastique.

Gayle fronça les sourcils.

— Que voulez-vous dire ?

— On dit que l'université de Wisconsin touche des bénéfices, expliqua Ingrid. Une partie provient de la fabrication de la mort-aux-rats, l'autre de l'enrichissement du lait en vitamine D.

— Vous verrez bientôt les slogans sur les murs de l'université, ajouta Phil : « Buvez du lait ! »

— Le Wisconsin est un grand producteur, n'est-ce pas ?

— Oui, le lait et la bière, expliqua Vera.

Elle sauta sur ses pieds et entonna « Vive le Wisconsin » sur l'air des lampions. Ingrid et Phil se mirent de la partie, bientôt rejoints par Steve. Ils reprirent en chœur le refrain avec de bruyantes

17

exclamations et des applaudissements nourris. L'intermède s'acheva dans les rires tandis que Steve et Gayle échangeaient un regard : la bonne humeur du trio était communicative. Vera se rassit en tailleur sur le sol.

— Au cas où vous n'auriez pas compris, je suis née dans le Wisconsin. A Milwaukee.

— Voilà qui explique tout, répondit Steve avec un sourire espiègle. En tout cas, je suis sûr d'une chose : rien ne vaut la bière du Wisconsin.

Il brandit son verre, à la grande joie de ses nouveaux amis.

— Vous êtes donc tous du Nord, résuma Gayle.

Phil, qui gardait les yeux posés sur elle, fit une grimace malicieuse.

— On ne peut rien vous cacher !

— Vous avez déjà tous votre licence ?

— Si seulement ! s'exclama Ingrid. Je ne suis qu'en première année.

— Moi, dit Vera, j'obtiendrai le diplôme en mai, si tout va bien.

Gayle, qui venait d'avoir vingt-six ans, avait donc deviné juste : les deux jeunes femmes étaient légèrement plus jeunes qu'elle.

— J'étudie la musique. Je suis en quatrième année, informa Phil.

Gayle l'observait tandis qu'il buvait sa bière. Il paraissait avoir vingt-trois ou vingt-quatre ans tout au plus, soit quelques années de moins que Steve qui en avait vingt-huit.

— Avez-vous déjà occupé un poste d'assistant ?

— Oui. Ici j'enseigne en première année : vingt heures par semaine.

C'était le nombre d'heures habituellement exigé d'un assistant. Le même programme attendait Steve, se dit Gayle. De plus, il entamerait ses premières recherches pour sa thèse de doctorat et suivrait un cours d'économie de troisième cycle. Mais Steve n'avait aucun souci à se faire. Il s'était révélé particulièrement brillant à l'université de Dallas.

Vera le regardait avec insistance.

— Vous savez, Steve, vous ressemblez beaucoup à Robert Redford.

— Ne lui dites pas. Il va se rengorger, répliqua Gayle avec un sourire.

En fait, la réflexion n'était pas dénuée de fondement. Il était un peu plus grand et un peu plus mince mais, de la vedette de cinéma, il avait l'étonnante blondeur et la distinction. Le contraste entre les cheveux couleur de blé et le regard sombre n'avait pas échappé à Vera ni à Ingrid qui ne cherchaient pas à dissimuler leur admiration.

Curieuse, Vera voulut en savoir plus.

— Comment vous êtes-vous rencontrés si l'un vient du Wisconsin et l'autre du Missouri ?

— Ma sœur Connie est partie vivre à Dallas après son mariage, répondit Gayle. Elle m'a convaincue de venir la rejoindre et de chercher du travail là-bas. J'ai donc trouvé un emploi chez un fleuriste. Un jour, Steve est entré dans la boutique.

— On peut dire, Steve, que vous avez eu de la chance ! lança Phil avec un regard appréciateur en direction de Gayle.

— Oui, encore qu'au début j'aie eu beaucoup de mal à persuader Gayle de sortir avec moi.

Les yeux d'Ingrid s'arrondirent de stupéfaction.

— Grands dieux ! Pourquoi ?

De toute évidence, elle n'aurait pas hésité une seconde.

Gayle haussa les épaules.

— Je ne le connaissais pas. J'étais méfiante.

La jeune femme se souvenait parfaitement du jour où elle avait vu Steve pour la première fois. Ce samedi matin, elle s'affairait alors dans la vitrine parmi les fougères et les roses quand, mue par une sorte d'instinct, elle s'était tout à coup retournée : il était là, bronzé, vêtu de blanc, la raquette de tennis sous le bras. Une épaisse frange de cheveux blonds retombait sur son front. Immobile, il l'observait. Le regard était intelligent et sensuel. Lentement, d'une manière incroyablement intime, il lui avait souri, découvrant légèrement des dents éclatantes. La simple évocation de ce souvenir suffisait à la faire frissonner de nouveau. Totalement troublée par cet inconnu au visage si séduisant et au corps d'athlète, elle avait senti son pouls s'accélérer. Sans même s'en rendre compte, elle avait noté au passage les hanches étroites et le ventre plat contrastant avec la largeur des épaules, les longues jambes dorées, les cuisses musclées... Oui, c'était vraiment l'homme le plus désirable qu'elle eût jamais rencontré !

Il avait un peu flirté avec elle en choisissant des fleurs qu'il voulait envoyer à l'hôpital de Dallas. Il avait réglé par chèque : Steven Dudley Weston. Elle aurait tant voulu accepter son invitation à dîner mais, naturellement, sa prudence à l'égard d'un inconnu l'en avait empêchée. Sans doute voulait-il seulement passer une nuit avec elle. Sûrement, un homme au physique aussi exceptionnel, au charme enchanteur — et nanti d'un nom aussi chic — ne pouvait s'intéresser profondément à quelqu'un d'aussi timide et réservé qu'elle.

— Il a fallu que je nous découvre des amis communs. Je les ai convaincus d'organiser une petite fête où Gayle serait invitée.

A partir de ce soir-là, ils ne s'étaient plus quittés.

— Avez-vous continué d'habiter à Dallas après votre mariage ?

— Oui, Gayle a gardé son emploi et j'ai continué de fréquenter l'université jusqu'à ce que je décroche ma maîtrise.

— Vous m'avez dit que vous étiez originaire de Sweet Springs, n'est-ce pas, Gayle ?

Tandis qu'il parlait, Phil vint s'asseoir auprès de la jeune femme sous le prétexte transparent de voir si elle connaissait ses cousins.

Tout en suivant vaguement la conversation, Steve observait le jeune musicien qui s'approchait de plus en plus de Gayle, particulièrement séduisante avec son regard couleur de jade. Vera et Ingrid poursuivaient leur bavardage mais il n'entendait qu'à demi-mot. Il se rendait compte qu'il était farouchement possessif, peut-être même un peu trop. Sentiment qu'il éprouvait depuis le tout premier jour, quand il avait découvert la silhouette fine aux formes délicieuses parmi les fougères et les roses. Impulsivement, il était entré aussitôt dans le magasin pour envoyer des fleurs à un ami qui venait d'être opéré d'une appendicite. Elle avait alors tourné la tête avec vivacité, sa main caressant machinalement les boucles noires qui lui couvraient la nuque. Il avait remarqué le teint de rose et ces extraordinaires yeux verts, vifs et intelligents. Dès cet instant, il s'était découvert éperdument amoureux d'elle.

De nouveau, son regard se porta sur Gayle qui, une jambe repliée sous elle selon son habitude, bavardait avec animation. De toute évidence, Phil était sous le charme. Steve ne put résister plus longtemps. Priant Vera et Ingrid de l'excuser, il rejoignit sa ravissante épouse assise sur le divan et passa un bras jaloux autour de ses épaules.

La jeune femme se tourna vers lui.

— Je suis allée à l'école primaire avec la cousine de Phil.

— Avez-vous déjà rencontré les deux étudiants qui habitent au premier étage ?

— Non, pas encore.

— Ils font leur droit. On pourrait se retrouver tous ensemble un de ces prochains soirs, acheter une caisse de bière et faire une petite fête. Si toutefois la préparation de vos doctorats ne vous interdit pas de vous divertir un peu !

— Sûrement pas, répliqua Steve avec désinvolture. Comment peut-on imaginer qu'un natif du Wisconsin refuserait une invitation et la promesse de boire une bonne bière ? D'ailleurs, Gayle et moi, nous avons suffisamment travaillé pour savoir apprécier un moment de détente de temps à autre, n'est-ce pas, ma chérie ?

Tendrement, il ébouriffa les cheveux de la jeune femme.

Dans les minutes qui suivirent, Steve, tout en bavardant, démontra clairement à Phil, avec suffisamment de subtilité, son amour et son attachement profonds pour sa jeune épouse. Quand ils se préparèrent à regagner leur appartement, il était assuré que Phil avait compris le message sans se vexer.

— Je suis contente qu'ils nous aient invités. C'est agréable de savoir que nous avons déjà des connaissances ici.

— Ils sont sympathiques, en effet.

Il remarqua que Gayle chantonnait tout en sortant une paire de draps. Il vint l'aider à faire le lit.

— Steve, à ton avis, Phil est-il amoureux de Vera ou d'Ingrid ? Ou bien partagent-ils cet appartement en tout bien, tout honneur ?

22

— Oh ! Tu sais, pourvu que Phil ne prenne pas de libertés avec toi, le reste m'est égal.

Il avait souri mais la gravité de son regard ne put échapper à Gayle, déconcertée par son côté exclusif et passionné. Il lui semblait que c'était elle qui aurait dû ou pu être inquiète. Même ce soir, par exemple, Ingrid et Vera avaient regardé Steve sans chercher à dissimuler leur attirance. D'une certaine manière, elle était fière de constater que les autres femmes admiraient son époux ou le lui enviaient... du moins tant que Steve continuait à demeurer indifférent à ces regards en coulisse et ces encouragements tacites dont il était perpétuellement l'objet.

Elle laissa tomber la couverture et serra Steve dans ses bras.

— Tu n'as aucune raison de t'inquiéter, tu sais. Phil ne m'a rien dit de déplacé. Nous avons parlé du Missouri. Cela m'a fait plaisir de découvrir que nous avions des connaissances communes et d'évoquer certains endroits de mon enfance.

Elle déposa un bref baiser sur ses lèvres.

— Il t'a trouvée tout à fait attirante, ma chérie.

— Et alors ? répliqua-t-elle avec une petite grimace. Il a du goût, non ? De toute façon, il est sans doute le petit ami d'Ingrid et de Vera réunies. Je doute qu'il ait du temps à consacrer à une troisième aventure.

— Difficile à dire. Je n'ai pas eu l'impression qu'il y avait beaucoup de romantisme dans l'air. Mais certaines gens sont très désinvoltes dans les rapports amoureux.

Certainement pas Steve, en tout cas, songea Gayle. Dès le début, avec beaucoup de finesse et de fermeté, il avait su montrer aux hommes attirés par Gayle qu'elle était sienne. S'il pouvait savoir !

Qu'aurait-il pu craindre? Il ne se rendait pas compte à quel point il l'avait éblouie dès le premier instant. Aujourd'hui encore, après un an et demi de mariage, elle était toujours si follement amoureuse de lui que personne d'autre n'existait à ses yeux.

Tout en bavardant, ils terminèrent l'arrangement de la pièce, plaçant les meubles de manière à sauvegarder un maximum d'espace. Quand ils eurent étalé sur le sol le tapis apporté de Dallas, Steve se déclara satisfait.

— Regarde! Notre installation prend bonne tournure!

— En effet, ce n'est pas mal.

Elle réfléchit un instant.

— Que dirais-tu de rideaux en lattes de bois pour les fenêtres? Ce n'est pas cher et c'est joli...

— Ceux qui ressemblent à des rideaux de bambou?

— Oui, ils filtrent la lumière d'une manière très agréable.

— Parfait. Et quand nous voulons un peu d'intimité? demanda Steve avec un petit sourire.

— Nous tirons les volets.

— Tout est donc réglé.

Gayle regarda autour d'elle. Incroyable mais vrai. Si on lui avait assuré que l'appartement serait installé le soir même, elle ne l'aurait pas cru. Mais, miraculeusement, les petits problèmes d'aménagement s'étaient résolus d'eux-mêmes: leur studio était vraiment plaisant. Steve avait eu raison de vouloir s'offrir une récréation. Laissée seule à elle-même, Gayle se serait entêtée tout l'après-midi et toute la soirée pour obtenir un résultat semblable avec beaucoup de peine et d'efforts.

— Steve, murmura-t-elle dans un souffle, j'ai apprécié le champagne et tout ce qui a suivi.

24

Ils s'étaient couchés et venaient d'éteindre la lumière.

— Moi aussi, ma chérie.

Il l'attira contre son torse nu. Avec délices, elle posa la tête sur son épaule et se pelotonna contre lui. Tendrement, il lui caressa les cheveux, puis se souleva pour l'embrasser une dernière fois.

— Je t'aime, Gayle. Dors bien.

— Moi aussi, je t'aime, Steve. Réveille-moi dès que tu seras levé demain.

— Entendu.

Sa voix était déjà pleine de sommeil. En quelques minutes, Gayle sentit son corps se détendre contre celui de Steve. Dans l'obscurité, elle sourit. Selon son habitude, il s'était endormi comme un enfant.

Il n'en fut pas de même pour elle. Son esprit fiévreux passait en revue tous les défis qui l'attendaient au seuil de cette nouvelle année universitaire. Oui, elle obtiendrait brillamment son doctorat. L'élève dépasserait le maître. Un jour, elle serait enseignante à la faculté. Tous ces projets et ces rêves l'excitaient follement. Pourtant, elle ne pouvait s'empêcher de ressentir une certaine appréhension. Steve avait essayé de la rassurer mais, en dépit de ses bonnes paroles, elle avait le trac. Serait-elle à la hauteur de sa tâche?

Lui, il possédait de telles facilités! Sans efforts démesurés, il avait obtenu sa maîtrise haut la main. Il ne pouvait tout à fait comprendre ses craintes. Mais il n'y avait aucune comparaison possible entre la petite université du Missouri où Gayle avait passé sa licence et celle, si renommée, du Wisconsin avec son immense campus. De plus, le Dr Durant avait la réputation d'être un maître exigeant. Bien entendu, elle avait hâte d'entrer dans son équipe. Mais elle savait qu'elle se préparait une année difficile. Son rythme de travail était lent et régulier alors que Steve se montrait toujours incisif et brillant. Son intelligence était celle d'un virtuose. Gayle n'avait pas ce privilège.

De fait, Steve semblait né sous une bonne étoile. Tout lui était facile. Déconcertée, elle ne parvenait toujours pas à croire qu'il pouvait se montrer jaloux à son endroit. Comment un autre homme aurait-il pu l'intéresser alors qu'elle possédait l'amour de Steve ? Mais, par-dessus tout, Gayle voulait lui prouver qu'elle était digne de cet amour, afin qu'il soit fier de son épouse comme elle l'était de lui. Peut-être trouverait-elle une idée originale pour sa thèse de doctorat ? Un sujet qui ferait vraiment avancer la recherche fondamentale...

La jeune femme poussa un profond soupir. Si elle accomplissait un jour quelque chose de valable, elle devrait une fière chandelle à sa tante Beth. Les parents de Gayle et de Connie étaient morts dans un accident d'automobile quand les petites avaient respectivement dix et quatorze ans. La tante Beth avait recueilli les enfants, bien qu'elle fût elle-même veuve et mère de trois garçons.

Connie et Gayle l'avaient aidée de leur mieux dans les tâches ménagères. Dès que possible, elles avaient pris un emploi afin de subvenir à leurs propres besoins. La tante Beth avait toujours souligné l'importance du travail scolaire. Les petites avaient suivi ses conseils. Hélas, Gayle était en première année à l'université quand leur tante mourut d'un cancer. La dernière fois que la jeune fille put la voir, la malade lui avait répété à quel point elle était fière de ses résultats. En aucun cas, elle ne devait abandonner ses études.

Gayle était donc partie pour Dallas où vivait sa sœur. Tout d'abord, elle s'était engagée à plein temps chez ce fleuriste où Steve l'avait rencontrée. Quand elle avait commencé à sortir avec lui, elle avait fait la connaissance de ses amis, tous aisés et brillants. Sa volonté de se mesurer s'était accrue après leur mariage. Son emploi de fleuriste n'était pas très stimulant. Steve, lui, éblouissait tout le monde par son intelligence et ses dons étonnants. Il abordait tout avec facilité : ses cours d'économie, son mémoire de maîtrise que chacun s'accordait à trouver remarquable ; bref, tout lui souriait : la vie était excitante.

Gayle désirait ardemment se sentir l'égale de Steve. Elle atteindrait son but si elle réussissait ici à Wisconsin. Quand ils auraient obtenu ensemble leur doctorat, tout irait bien. Elle serait alors Dr G. Weston, respectée dans son domaine, reconnue pour elle-même. Oubliée la petite provinciale qui avait eu la chance d'épouser Steve Dudley Weston !

3

— Eh bien ! Tu as enfin décidé de m'emmener chez toi !

Gayle jeta un regard amusé à Steve, assis au volant de leur petite Volkswagen bleue.

— Tu connais mes parents depuis deux ans maintenant.

— Oui, mais je vais voir ta maison pour la première fois.

— En effet.

— N'est-ce pas là l'hommage suprême qu'un homme rend à une femme ?

Taquine, elle insistait. D'abord perplexe, Steve se mit au diapason et lui sourit.

— Probablement. J'avais pourtant de bonnes raisons de te garder à Dallas pour moi tout seul.

— Ah bon ?

— Parfaitement.

— Et... puis-je les connaître ?

— Je ne voulais pas te partager avec quelqu'un d'autre. Tu m'étais trop... précieuse, ma chérie. Je n'étais nullement pressé de t'emmener à Neenah.

Steve s'arrêta au feu rouge et tourna la tête dans sa direction. Pourquoi cette vulnérabilité soudaine dans le beau regard sombre ? Le cœur de Gayle se serra.

— Que pourrait-il se produire qui changerait quelque chose entre nous ? s'enquit-elle avec douceur.

Le feu passa au vert. Steve démarra.

— On ne sait jamais. Je ne voulais pas courir de risque. Pas avec un petit trésor comme toi.

Attendrie, Gayle posa la main sur la cuisse musclée. Comme elle l'aimait ! Il était habituellement calme et assuré mais, quand il laissait apparaître sa fragilité de petit garçon, elle avait envie de le prendre dans ses bras.

Le pull-over bleu vif mettait parfaitement en valeur la peau dorée par le soleil et l'or de ses cheveux. Le pantalon de velours côtelé soulignait les longues jambes et les hanches étroites. Qu'il était séduisant ! Gayle poussa un profond soupir. Tout son être vibrait en présence de cet homme. Mais pourquoi ce regard préoccupé ? se disait-elle.

Steve suivit l'avenue de Washington pour sortir de la ville en direction de Barrage-aux-Castors et Fond-du-Lac, les deux bourgs qui se trouvaient à la pointe sud du lac Winnebago.

Aujourd'hui était un jour spécial : ils étaient invités à venir fêter l'anniversaire du père de Steve et passer le week-end à Neenah par la même occasion. La jeune femme, quoique très impatiente à l'idée de découvrir la maison où son mari avait grandi, éprouvait un sentiment de culpabilité. Elle aurait dû réviser le travail accompli pendant la semaine au laboratoire du Dr Durant.

Quand la mère de Steve avait téléphoné le lundi précédent, les priant de venir dîner, ni Steve ni

Gayle n'avaient eu le cœur de refuser l'invitation. Du coup, elle avait glissé son classeur de biochimie sous le siège de la voiture, dans l'espoir de trouver un moment pour étudier pendant les quelques heures de route ou au cours de son séjour à Neenah.

Il faisait un temps radieux. L'air était pur et la lumière argentée. Malgré les nuits fraîches, la température avait remonté : l'été indien resplendissait.

— Comme c'est beau ! Regarde toutes ces couleurs ! s'écria Gayle en désignant les feuillages rouges et mordorés qui émaillaient le paysage.

— Je suis content de voir que tu aimes ma région.

Le ton enjoué était un peu forcé. Contrairement à son habitude, Steve ne paraissait guère détendu. Pourtant, elle se réjouissait de cette première sortie à l'extérieur de Madison depuis leur rentrée à la faculté.

Gayle se demandait à quoi pouvait ressembler la maison natale de Neenah. C'était là que Steve avait ses racines. Dallas était seulement la ville de leur rencontre. Ils avaient été si éblouis par leur amour naissant, si absorbés par la vie quotidienne de la grande ville qu'ils avaient échangé assez peu de souvenirs. Elle savait que Steve était fils unique et, autant qu'elle pouvait en juger, qu'il avait eu une enfance heureuse.

Quand ils habitaient encore à Dallas, les parents de Steve y avaient fait escale à plusieurs reprises à l'occasion de voyages d'affaires. Le père de Steve travaillait pour une société importante de pâte à papier. Les Weston devaient être suffisamment aisés, s'était dit Gayle, pour qu'une nuit ou deux à l'hôtel et un billet d'avion supplémentaire ne soient pas un problème. Elle les avait rencontrés pour la première fois peu de temps avant leur mariage. Tout de suite avec cette simplicité chaleureuse typique du Nord, ils l'avaient priée de les appeler par leurs prénoms. Elle s'y était pliée avec grand plaisir. Tout de même, ils n'avaient jamais voulu dormir dans le petit appartement qu'occupaient les jeunes gens, sous le prétexte de ne pas les déranger. Gayle avait, somme toute, l'impression de les connaître bien peu.

Ils firent une pause-café à Waupun. Un peu plus loin, ils ne purent résister à l'attrait de belles pommes, fraîchement cueillies, que proposaient les enfants au bord de la route. Tout en mordant dans le fruit juteux et croquant à souhait, Gayle ouvrit son classeur et s'efforça de se concentrer un moment. Difficile de lire dans ces conditions, la petite Volkswagen enregistrant chaque secousse. Autant ne pas insister.

— Je ne suis pas bien sûre d'avoir compris ce que je viens de lire.

Avec un soupir, elle s'étira pour décontracter ses muscles douloureux.

— Oui, j'ai parfois la même impression, répondit Steve. Que penses-tu de ton cours de biochimie ? Es-tu contente d'avoir pris cette option ?

— Oh là là ! C'est pour moi la matière la plus ardue. Ces formules chimiques sont d'une telle complexité ! J'ai peur de ne jamais pouvoir les retenir.

— Ma foi, je n'y connais rien mais si je peux t'aider à les apprendre...

— Je ne sais pas si c'est possible. Il s'agit de très longues équations qui symbolisent les réactions chimiques chez les plantes. Je te montrerai. Mais ne t'inquiète pas. J'y parviendrai d'une façon ou d'une autre.

Gayle voulait paraître plus assurée qu'elle ne l'était réellement.

Ils étaient parvenus à Fond-du-Lac. Désireuse de faire diversion pour oublier ses soucis, la jeune femme se tourna vers Steve.

— Toi qui parles français, sais-tu pourquoi on a ainsi baptisé la petite ville ?

— Oui. Les explorateurs et les marchands de fourrure français sont arrivés dans le Wisconsin au début du XVIIe siècle. Ils ont établi un comptoir pour y vendre les produits de leurs chasses.

— Ils utilisaient les cours d'eau pour se déplacer, n'est-ce pas ?

Gayle avait étalé la carte routière sur ses genoux.

— Le Saint-Laurent, les Grands Lacs, le Mississippi... énuméra-t-elle.

— Oui, c'est cela : ils suivaient la rive du lac Michigan vers Green Bay, puis remontaient la rivière du Renard jusqu'à la pointe sud du lac Winnebago.

Un instant, elle eut la vision de cette époque lointaine : trappeurs français pagayant dans leurs canoës, guidés par un Indien.

— Beaucoup plus tard, au XIXe siècle, Fond-du-Lac a acquis une renommée grandissante pour sa production de bois et sa ligne de chemin de fer.

Il eut un petit rire.

— Au début, les problèmes n'ont pas manqué. On dit que les premiers kilomètres de voie ferrée, construits vers 1850, ne menaient nulle part.

— Et alors ?

— Eh bien, il fallait que le train puisse emprunter la nouvelle ligne. Il y avait une route mais elle appartenait aux propriétaires de l'usine : pas question de construire des rails à cet endroit. Seuls, dirent-ils, pouvaient passer des convois tirés par des chevaux. Qu'à cela ne tienne! On attela quarante chevaux à la locomotive!

— Incroyable!

— Rien n'arrêtait ces hommes-là. Ce n'est pas tout. Ils rencontrèrent quelques déboires supplémentaires. Lors du voyage inaugural, un bœuf a voulu traverser la voie au moment où le train passait.

— Un bœuf!

— Oui. L'ingénieur n'a rien pu faire : le train a heurté l'animal et le convoi a déraillé!

— Quelle histoire!

Steve avait en réserve une foule d'anecdotes toutes plus drôles les unes que les autres dans les domaines les plus divers. Lui qui savait rendre vivant n'importe quel sujet, il devait être très bon professeur, songea-t-elle tandis qu'il continuait à la divertir en lui parlant du folklore de la région. Du coup, elle avait complètement oublié la biochimie! Ils parvinrent au lac de la Butte-des-Morts.

— C'est la voie d'eau qu'utilisaient les explorateurs français pour aller de l'Atlantique au Golfe.

— Comment cela?

— Le passage permettait de rejoindre la rivière Wisconsin puis le Mississippi, La Nouvelle-Orléans et le Golfe...

— Elémentaire, mon cher Watson. Je veux dire, Weston!

Gayle avait retrouvé sa gaieté.

— Plus tard, on a construit un canal pour relier la rivière du Renard à celle du Wisconsin.

— Et l'on n'avait plus qu'à se laisser glisser sur l'eau jusqu'à la mer, conclut-elle.

Soudain, elle tressaillit. Elle venait d'apercevoir un panneau portant l'inscription : Neenah, Wisconsin. Population : 22 432 habitants.

Gayle jeta un coup d'œil à Steve devenu soudain silencieux. Il semblait ému de revoir la petite ville de son enfance. De toute évidence, il avait été heureux ici. Pourtant elle nota ses mâchoires serrées. Il avait donc feint l'insouciance pour lui rendre le trajet agréable et lui faire oublier ses soucis ? Quelque chose le préoccupait, elle en était sûre. Mais quoi ?

Il s'engagea dans une large avenue bordée de splendides demeures de style victorien, toutes mises en valeur par de somptueuses pelouses ou même des parcs. A travers les branches des sapins et des érables, on apercevait le bleu du lac.

— Ces maisons sont magnifiques ! Jamais je n'aurais imaginé que Neenah était aussi résidentiel.

Il eut un singulier sourire que Gayle ne vit pas, trop occupée à admirer les villas.

— J'aimerais revenir plus tard pour mieux étudier certaines façades, si cela ne t'ennuie pas.

— D'accord.

La voiture tourna alors dans une allée qui conduisait à une maison haute de trois étages. Majestueuse, elle se dressait, comme dans un écrin, sur un fond de sycomores centenaires. Des arbustes bien taillés mettaient en valeur un gazon fraîchement tondu. Des colonnes blanches soutenaient la terrasse du premier étage, formant un porche à l'entrée. Derrière, la vue sur le lac devait être merveilleuse, songea Gayle.

Plongée dans la confusion, la jeune femme regarda son époux tandis qu'il garait leur modeste petite voiture au pied des escaliers. Elle hésita.

— Steve, ce n'est pas... la demeure de tes parents, n'est-ce pas ?

— Si. Retour au foyer familial ! répliqua-t-il avec une apparente désinvolture.

En même temps, il ne la quittait pas des yeux, observant avec intensité chacune de ses réactions.

Abasourdie, elle fixa un moment la villa en silence. Ainsi, les Weston étaient beaucoup plus riches qu'elle ne l'avait imaginé ! Son père, à elle, avait gagné sa vie comme préparateur en pharmacie. Les Weston avaient sans doute souhaité pour leur fils une épouse aux origines moins humbles ! En tout cas, s'ils nourrissaient des regrets, ils avaient beaucoup trop d'éducation pour le montrer.

Dans le garage, elle aperçut deux Mercedes côte à côte, l'une blanche et l'autre gris métallisé. Plus loin, se trouvait une petite MG rouge vif. Seigneur ! Elle avait épousé Steve sans se douter de rien !

Sans mot dire il sortit de la voiture. Eberluée, Gayle ouvrit machinalement sa portière.

— Steve, pourquoi ne m'as-tu rien dit ?

Soudain pressé, il ignora sa question.

— Allons, il est bientôt l'heure du déjeuner. Nous reviendrons prendre nos affaires plus tard.

Avec détermination, il lui saisit la main et l'entraîna vers le perron.

— Puisque c'est ta première visite, passons par la grande porte.

Il possédait bien sûr sa propre clé. D'un coup d'épaule, il poussa l'énorme battant en chêne massif.

— C'est mon grand-père qui a fait construire cette maison.

Galamment, il l'invita à entrer. C'était incroyable. Il paraissait presque embarrassé, comme si la richesse de sa famille posait un réel problème.

Muette, elle pénétra dans un immense hall d'entrée que surplombait un chandelier de cristal. Au fond, on devinait un escalier en colimaçon. Un épais tapis persan au camaïeu de bleu, qui recouvrait le plancher ciré, étouffait le bruit de leurs pas. Steve la conduisit dans un petit salon où la lumière entrait à flots.

Stupéfaite, Gayle parcourut du regard les tableaux de maître, les meubles anciens, le piano à queue et divers objets d'art : toutes choses qu'elle aurait voulu pouvoir étudier à loisir. Profondément troublée, elle jeta un coup d'œil à son mari. Toujours attentif, il ne la quittait pas des yeux.

A cet instant, la mère de Steve pénétra en coup de vent dans la pièce. Très mince, habillée simplement d'un ensemble-pantalon blanc, ses cheveux blonds relevés en chignon, elle était d'une élégance parfaite.

— Il m'a semblé entendre quelqu'un ! s'écria-t-elle avec un chaleureux sourire.

Radieuse, elle ouvrit les bras.

— Quel plaisir de vous voir ici tous les deux !

En une enjambée, Steve fut près de sa mère qu'il embrassa tendrement. Au côté de son grand fils, elle paraissait si petite !

— Ton père n'est pas au courant, chuchota-t-elle, ravie. C'est une surprise. Oh ! Il va être si content !

— Je suis heureux que nous ayons pu nous organiser pour venir, dit Steve.

Gayle perçut une légère lassitude dans sa voix.

— Bienvenue à Neenah ! Il était temps que mon fils vous y amène !

Paula embrassa sa belle-fille avec affection.

— Comment allez-vous ? Et vos cours à l'université ?

Gayle n'avait pas très envie de partager ses préoccupations.

36

— Très bien. Nous travaillons dur tous les deux. Nous nous plaisons beaucoup à Madison.

— Parfait. Allons dans la salle de séjour.

— Votre maison est splendide, Paula. Je ne me doutais nullement que vous habitiez une demeure aussi élégante !

— Je suis enchantée qu'elle vous plaise, répondit sa belle-mère avec un sourire compréhensif devant l'étonnement non dissimulé de Gayle.

Ils passèrent par une sorte de boudoir tapissé de livres reliés, qui devait faire office de bureau ou de bibliothèque. Puis, après avoir longé un corridor, ils pénétrèrent dans une grande salle aérée et très claire, meublée avec simplicité. Son principal charme tenait à ses grandes baies : on jouissait d'une vue panoramique sur le lac Winnebago.

— A l'origine, c'était une serre. Il y a vingt ans, nous l'avons agrandie et aménagée pour en faire une salle de séjour. C'est l'endroit de la maison que nous préférons.

— Je comprends. Comme c'est agréable !

— Maman avait un peu peur pour ses bibelots : j'ai été un petit garçon turbulent, précisa Steve.

Avec une expression taquine, il passa son bras autour des épaules de sa mère.

— C'était un peu ma salle de jeux, à une époque, ajouta-t-il.

Sur le sol, pavé de tomettes, s'alignaient quelques tapis orientaux. Gayle aperçut la table dressée pour le déjeuner et, au fond, un ensemble de fauteuils et de canapés confortables formant un coin-salon. Un petit poêle ancien réchauffait les soirées d'hiver. Des plantes vertes florissantes s'élançaient vers les baies vitrées. A l'extérieur, la pelouse descendait en pente douce vers une vaste piscine. Au bord du lac, un voilier blanc à l'ancrage se balançait sous la brise. Où que se portât son regard, Gayle découvrait des signes de richesse.

La porte qui donnait sur le patio s'ouvrit tout à coup et, distraitement, entra le père de Steve.

— Paula, il m'a semblé entendre une voiture... Steve ! Gayle !

Ses yeux s'arrondirent de stupéfaction puis son visage s'éclaira d'un sourire ravi.

— Que faites-vous ici ?

— Bon anniversaire, papa !

Le père et le fils échangèrent une chaleureuse accolade.

— Paula, comment as-tu réussi à mettre sur pied ce petit complot sans donner ta langue au chat ?

Mme Weston rayonnait. Le plaisir de son époux la comblait d'aise. Grand, large d'épaules, le père de Steve portait un pantalon de velours côtelé, une chemisette vert pâle et un gilet poil de chameau. Il avait dû être fort séduisant dans sa jeunesse. Derrière les lunettes, le regard sombre était intelligent, avec un humour qui lui rappelait Steve, songea la jeune femme.

— Comment allez-vous, Gayle ? demanda son beau-père avec chaleur en lui rendant son baiser.

Il la retint un instant pour l'observer.

— Je crois que vous êtes encore plus ravissante que la dernière fois que je vous ai vue !

— Comment vous portez-vous ? demanda la jeune femme avec un intérêt sincère.

— Aussi méchamment que d'habitude, répliqua-t-il avec un grand rire.

C'était une de ses reparties favorites.

— Est-ce que mon fils s'occupe bien de vous ? dit-il gaiement.

Gayle jeta un sourire malicieux à Steve qui leva comiquement les yeux au ciel.

38

— Il a été gentil avec moi presque tout le temps, assura-t-elle d'un air faussement solennel.

— Gayle, intervint Paula, préférez-vous occuper l'une des chambres d'amis au deuxième étage ou celle de Steve au troisième ? Il y a des draps frais partout, de toute façon. A vous de décider.

Ne sachant que répondre, la jeune femme lança un regard interrogatif à Steve qui vint à sa rescousse.

— Je suivrai la préférence de Gayle mais je dois avouer que j'aimerais bien retrouver ma chambre de garçon.

— Les autres sont beaucoup plus confortables, poursuivit Paula. Enfin, vous verrez. Lily a préparé une salade de crevettes pour le déjeuner. Je vais vous présenter, Gayle. Elle fait partie de la maison depuis des années. Ensuite, vous pourrez monter vos affaires. Quand vous vous serez rafraîchis, nous passerons à table.

Après avoir jeté un coup d'œil aux luxueuses chambres du deuxième étage, Gayle fut ravie de s'installer dans le domaine de Steve. La pièce, vaste et meublée sobrement, jouissait d'une vue magnifique sur le lac. Rien, sans doute, n'avait changé depuis le départ du garçon, à dix-huit ans. La tapisserie était recouverte de photographies de sports, de souvenirs scolaires et d'affiches de toutes sortes qu'elle se promit d'étudier plus longuement.

D'ailleurs, comme l'avait fait remarquer Steve en déposant un bref baiser sur sa nuque, ils pourraient bénéficier ici d'une plus grande intimité.

— Quand j'étais petit, ma chambre se trouvait à côté de celle de mes parents. A douze ans, j'ai éprouvé le désir d'avoir mon territoire.

M. Weston père prépara des Bloody Mary pour l'apéritif. Puis, tandis qu'ils dégustaient la délicieuse salade de crevettes préparée par Lily, il exposa ses projets pour l'après-midi. Il voulait tout montrer à Gayle.

— Je ne sais pas, papa, dit Steve sans enthousiasme. Elle préférerait peut-être se reposer. Elle a travaillé très dur ces dernières semaines.

— Non, vraiment, protesta Gayle. J'aimerais tant visiter Neenah et la région...

Le père de Steve insista pour que la jeune femme s'assît à l'avant de la Mercedes gris métallisé. Paula parut contente de rester à l'arrière au côté de son fils, décidément pas très bavard aujourd'hui.

Conformément à son désir, les trois Weston lui firent admirer les maisons qu'elle voulait voir. Toutes appartenaient à leurs amis. Ils signalèrent les écoles que Steve avait fréquentées, comme son père avant lui. Ils se promenèrent à Smith Park, magnifique réserve où, dit Paula, on célébrait les mariages en été. Après une brève visite au vieux cimetière indien, ils reprirent la voiture.

M. Weston expliqua alors à Gayle comment les premiers bûcherons avaient construit canaux et barrages pour produire l'électricité hydraulique destinée à faire marcher les scieries. Mais, quand son père s'engagea dans la zone industrielle, Steve protesta.

— Vraiment, papa, je ne crois pas que les usines de pâte à papier vont intéresser Gayle.

— Bien sûr que si ! se récria-t-elle.

— Voilà une fille selon mon cœur, dit son beau-père en lui tapotant affectueusement la main. Qui est au volant, de toute façon ? lança-t-il à son fils avec un regard dans le rétroviseur.

Lentement, la Mercedes glissa le long des immenses bâtiments. Puisqu'il travaillait pour une société de pâte à papier de la région, Gayle trouva tout naturel qu'il lui donne un historique détaillé des entreprises de Fox et de Neenah, établies après la guerre de Sécession.

Pendant un bon moment, la jeune femme réussit à oublier le choc provoqué par la découverte que sa belle-famille était si riche. Détendue, elle passait un après-midi fort agréable, sensible à la cordialité de ses beaux-parents. Puis elle l'aperçut enfin : la plus imposante usine avec sur le toit, en lettres géantes : Société Weston et Cie.

— Eh bien ! Nous y voici, dit fièrement son beau-père en s'engageant dans le parking. Mon grand-père a bâti la première fabrique de la région il y a environ cent ans.

Gayle était suffoquée.

— J'ignorais que le fameux papier Weston, c'était vous, dit-elle d'une petite voix. Steve m'avait seulement annoncé que vous travailliez pour une société de ce type. Jamais je n'ai pensé que...

— Vraiment, Gayle ?

Il sourit avec indulgence.

— Je crois que votre simplicité est l'une des choses que mon fils a tant aimées en vous dès le premier instant, intervint Paula.

— Vous avez dû penser que j'étais vraiment idiote, continua Gayle, mortifiée.

— Jamais de la vie ! Nous vous avons trouvée adorable et... rafraîchissante.

— La société a pris de l'ampleur depuis l'époque de mon grand-père, poursuivit M. Weston.

— En effet !

— Maintenant, nous employons plus de deux mille personnes.

Le reste de l'après-midi se déroula pour Gayle dans une sorte de brume. Les Weston tinrent à lui montrer les installations les plus spectaculaires de la société, ainsi que l'ensemble des bureaux où se trouvait le sien, vaste et luxueux. « Stephen Dudley Weston, président-directeur général », lut-elle sur la plaque de cuivre.

Sur le chemin du retour, ils s'arrêtèrent à son club nautique. A bord de son yacht de croisière, il leur prépara l'apéritif. Pendant ce temps, Gayle, Steve et Paula prenaient le soleil dans des chaises longues sur le pont supérieur.

— Tout va bien, ma chérie ? demanda Steve un peu soucieux. On ne t'entend plus.

— Très bien, répondit Gayle avec une fausse légèreté. Un peu fatiguée peut-être...

Comment lui dire ce qu'elle ressentait réellement ? La plupart des femmes auraient été émerveillées de découvrir qu'elles avaient épousé l'héritier d'une grosse fortune. Pourtant, Gayle avait l'impression que les bases mêmes de son mariage et de sa vie venaient d'être ébranlées. Certes, il faisait un temps superbe mais, pour elle, un brouillard de confusion et d'incertitude recouvrait tout. Une idée l'obsédait : pourquoi Steve lui avait-il caché la richesse de ses parents ? Il lui faudrait attendre qu'ils soient seuls pour le lui demander.

Comment avait-elle été assez sotte pour ne pas faire le rapprochement entre le père de Steve et la Société Weston connue dans tout le pays ? Elle en avait maintes fois entendu parler à la radio, par exemple dans les comptes rendus de la Bourse de Wall Street. La famille faisait partie des cinq cents plus grosses fortunes des Etats-Unis. Mais elle n'avait jamais eu d'intérêt particulier pour ce domaine de l'économie ou des finances avant son mariage avec Steve. D'ailleurs, jusqu'à aujourd'hui, elle aurait été bien en peine de localiser les usines de la Société Weston si on lui avait posé la question.

— J'ai demandé à Lily de prévoir le dîner à sept heures, dit Paula. Nous pourrions rentrer maintenant afin de disposer d'un peu de temps pour nous rafraîchir et nous reposer avant de passer à table.

Après un bon bain chaud plein de mousse, Gayle se sentit envahie par une immense lassitude. Elle parlerait à Steve plus tard. Pour le moment, elle n'avait qu'une envie : dormir un peu pour oublier son désarroi.

Quand ils s'éveillèrent, le soleil se couchait.

— Six heures et quart. Steve, il faut nous dépêcher !

— Oui, maman nous attend pour six heures et demie.

Quelques minutes plus tard, habillée d'un fourreau de soie rose qu'elle avait acheté en solde dans un grand magasin de Dallas, Gayle brossait énergiquement ses boucles noires.

— Vous êtes superbe, madame Weston ! murmura Steve avec admiration.

— Vous aussi, vous êtes infiniment séduisant ce soir, monsieur Weston !

Il avait revêtu un blazer bleu marine très strict par-dessus une chemise à fines rayures roses et une cravate assortie.

— Steve, es-tu sûr que mon cadeau est une bonne idée ? Dois-je vraiment offrir à ton père la petite serre en miniature que j'ai préparée à son intention ?

— Naturellement. Pourquoi pas ?

— Eh bien... elle ne m'a presque rien coûté. J'ai seulement acheté l'aquarium et j'ai trouvé les plantes dans les bois ainsi que la mousse et les jolis cailloux.

Comment lui dire qu'elle trouvait son présent beaucoup trop modeste maintenant qu'elle avait un aperçu de la fortune de Stephen Weston ?

— La botanique est ta passion, petite fleur. C'est ton talent. Tu as apporté une part de toi-même dans cette composition. C'est quelque chose que l'argent ne peut acheter. Je suis certain que papa aimera ton jardin en réduction. Il pourra le placer dans la bibliothèque, dans la salle de séjour ou même dans son bureau à l'usine.

— Bon, d'accord.

Paula avait mis les petits plats dans les grands en l'honneur de l'anniversaire de son époux. D'abord, on servit les cocktails et le caviar Beluga au salon. Ensuite, ils dégustèrent un repas raffiné dans la salle à manger somptueusement décorée de chandeliers en cristal et de bouquets de roses.

Pour la première fois depuis qu'elle avait fait leur connaissance, Gayle fut mal à l'aise avec les parents de Steve. Le service en porcelaine de Chine, la lourde argenterie, l'uniforme immaculé de Lily, tout lui rappelait sans cesse un milieu qui n'était pas le sien. Regardant tour à tour chacun des Weston, la jeune femme se sentait intimidée par leur aisance souveraine, leur distinction, le naturel avec lequel ils évoluaient dans le luxe où ils étaient nés. Même Steve lui donna l'impression d'être un étranger. Que faisait-elle ici ?

Après le rôti, Lily servit un magnifique gâteau garni de fraises et de crème fouettée, surmonté de fines bougies blanches. Lily se joignit à la famille quand les Weston entonnèrent : « Heureux anniversaire ! ». Puis ce fut l'heure des cadeaux. Au grand soulagement de Gayle, Stephen Weston parut extrêmement touché par son présent. Pour un homme qui possédait tout ce que l'argent peut acheter, la petite serre était une attention personnelle qu'il sut apprécier.

Pour Gayle, le meilleur moment du week-end fut sa baignade dominicale dans la piscine chauffée en compagnie de Steve. Il avait commencé à lui passer son costume de bain vert alors qu'elle dormait encore. Quand il noua le bas du maillot sur ses hanches, elle ouvrit les yeux.

— Que fais-tu ? murmura-t-elle d'une voix encore ensommeillée.

— J'emmène la femme de mes rêves à la piscine. Bonjour, mon amour ! claironna-t-il en glissant tendrement le haut du bikini sur sa poitrine.

Il se pencha pour l'embrasser et la prendre dans ses bras. Toute souriante, elle se laissa emporter vers le bassin. Après avoir menacé de l'y jeter directement, il la déposa sur le bord. Pendant près d'une heure, ils furent seuls au monde. L'eau était absolument délicieuse et Gayle ne songea qu'à profiter des plaisirs de la vie en compagnie de l'homme qu'elle aimait. Un peu plus tard, Paula vint leur annoncer que le petit déjeuner était prêt.

Il fallut ensuite se dépêcher pour arriver à l'heure à l'église Saint-Thomas. Après le service religieux, ils allèrent déjeuner au club. De nombreux amis vinrent les saluer, auxquels M. Weston se fit un plaisir de présenter sa belle-fille. Gayle ne pouvait s'empêcher de penser que tous devaient être curieux de voir quelle femme avait épousée Steve Weston. Elle imaginait les commentaires : « Que lui a-t-il trouvé ? » Elle se disait que les jeunes femmes qui déjeunaient avec leur famille et jetaient de temps à autre des regards admiratifs en direction de son époux étaient toutes des héritières

à la mesure de Steve. Comme ses parents avaient
dû être déçus de ne pas le voir choisir l'une d'elles !
Tout le long du chemin de retour, cette pensée
amère ne la quitta plus.

4

— Prête, ma chérie ?

Steve jeta à Gayle un coup d'œil interrogateur. Il était sur le point de sonner chez le Dr Kingsley Durant, qui habitait une maison des années vingt dans un quartier résidentiel de Madison.

Gayle avait un peu le trac mais le sourire encourageant de Steve la rassura. Elle prit une profonde inspiration.

— Prête !

King Durant les avait invités à un barbecue.

— Sans façons, avait-il précisé. Vous pouvez venir en jean. Il y aura d'autres étudiants en botanique. Nous ferons griller le saumon que j'ai pêché l'été dernier et nous boirons de la bière.

Gayle apportait sa propre contribution au repas : une énorme salade de pommes de terre à la crème fraîche et aux échalotes. Ce serait sa première sortie avec les gens de sa section. Steve était curieux de rencontrer le Dr Durant et les autres étudiants qui travaillaient avec son épouse au laboratoire. Mais la jeune femme se sentait un peu nerveuse. Steve et le professeur auraient-ils de la sympathie l'un pour l'autre ?

Des bruits de pas et de voix leur parvenaient de l'intérieur. Ils échangèrent un sourire amusé puis entendirent un appel.

— Tracy ! Veux-tu répondre, s'il te plaît !

La porte s'ouvrit sur une minuscule petite fille aux yeux bleus.

— Je m'appelle Tracy, zézaya-t-elle avec un adorable sourire. Entrez.

Devant cette délicieuse apparition, Gayle se sentit fondre.

— Bonjour, Tracy. Je m'appelle Gayle et voici mon mari Steve.

— Bonjour.

Les fossettes s'accentuèrent.

— Papa a dit de conduire tout le monde au salon.

Avec gravité, elle leur fit signe de la suivre et s'engagea dans le couloir d'un pas résolu.

Deux garçons d'une dizaine d'années se battaient dans l'escalier. Apercevant les Weston, ils se redressèrent dignement. Du premier étage s'échappait une musique de rock.

— Cela me rappelle la maison de tante Beth, murmura Gayle.

Oui, la vieille demeure était pleine de vie et retentissait de cris et d'appels. Bien sûr, chez tante Beth, l'insouciance n'était pas toujours de mise. Gayle s'était surtout efforcée de ne pas être une charge trop lourde pour cette femme généreuse qui avait déjà sa part de soucis. Cette adolescence, parfois pas très facile, Gayle n'avait jamais voulu, par pudeur, en parler à Steve. Depuis le week-end à Neenah, elle en avait encore moins envie.

Tracy les conduisit dans une vaste salle de séjour très lumineuse avec ses grandes baies et prolongée par une terrasse en bois qui donnait sur le lac Mendota. King Durant les accueillit avec chaleur.

— Bienvenue dans notre maison de fous ! Je vois que, grâce à Tracy, vous êtes parvenus jusqu'ici sains et saufs.

— Docteur Durant, puis-je vous présenter mon mari, Steve Weston ?

— Ne vous ai-je pas demandé de m'appeler King ? Enchanté de faire votre connaissance, Weston.

Les deux hommes échangèrent un regard et une solide poignée de main. King Durant avait une allure particulièrement distinguée mais, se dit Gayle, Steve était de loin le plus beau.

— Ravi de vous rencontrer.

Durant lui donna une petite tape sur l'épaule. Svelte, il paraissait jeune pour ses quarante ans. Sa barbe courte et soignée ajoutait à son charme.

— Gayle m'a dit que vous étiez originaire du Wisconsin.

— En effet.

— D'où exactement ?

— De Neenah. Vous connaissez ?

— Bien sûr, je suis de Green Bay. Etes-vous apparenté aux Weston du papier Weston ?

— Je le crains.

— Eh bien ! Quel héritage ! Le bois et ses dérivés sont une des principales richesses du pays.

— Tant que l'on reboise les forêts et que l'on ne pollue pas trop les rivières et les lacs !

— Absolument. Servez-vous à boire et présentez votre mari à tout le monde, Gayle. Tracy, ma chérie, merci d'avoir accueilli nos invités.

Il ébouriffa les cheveux blonds de la petite fille qui eut un sourire ravi. Gayle s'attendrit.

— Tracy est adorable. Combien d'enfants avez-vous, King ?

— Cinq, mais j'ai souvent l'impression d'en avoir le double. Il y a toujours beaucoup d'amis. Bon, je vous prie de m'excuser un instant. Mon épouse sera bientôt là.

Dès que King fut hors de portée de voix, Steve se pencha vers Gayle.

— Je croyais qu'il était beaucoup plus âgé.

Elle remarqua son expression troublée.

— Non, mais King a déjà tellement fait avancer la recherche dans son domaine qu'il est devenu un savant de renommée mondiale. Toutes les revues scientifiques ont publié ses articles et ses comptes rendus d'expériences.

Dans les minutes qui suivirent, elle présenta Steve à tous les membres de la faculté et aux étudiants qu'elle connaissait. Ils bavardèrent agréablement en buvant de la bière fraîche.

Une brise légère soufflait du lac. De la terrasse, la jeune femme admira la pelouse agrémentée de tulipes et de saules pleureurs, qui descendait en pente douce jusqu'au rivage. Le long de la jetée étaient ancrés un voilier et deux barques.

Un peu plus loin, un groupe d'adolescents échangeait des plaisanteries tout en préparant un feu de bois. Parmi eux, un magnifique colley et un terrier frisé gambadaient allégrement. Que pouvait abriter la petite maison en séquoia au bout du chemin ?

King allait et venait, veillant au confort de ses invités. Régulièrement, il vérifiait la cuisson d'un énorme saumon couché sur le gril. Quand une femme menue, aux cheveux roux, apparut sur la terrasse, poussant devant elle un chariot surchargé de plats et de verres, King s'empressa. Il passa un bras autour de ses épaules et la présenta à Steve et Gayle.

— Mon épouse, Libby, déclara-t-il avec fierté. C'est grâce à elle que cette maison continue miraculeusement à tourner.

— Je ne sais s'il y a vraiment miracle, s'exclama Libby. King m'a beaucoup parlé de vous, Gayle, poursuivit-elle d'un ton sérieux.

— Ah bon ?

Elle jeta un coup d'œil surpris à King. Qu'avait-il raconté à son sujet ?

— Je crois qu'il est très optimiste en ce qui concerne votre avenir.

— Oui. Je suis très content du travail que vous avez accompli jusqu'ici, confirma King Durant.

Reconnaissante, Gayle, accompagnée de Steve et d'autres invités, suivit les Durant pour faire le tour du propriétaire. Libby leur montra même la petite maison en séquoia qui était son domaine : elle y avait installé son affaire de toilettage pour chiens.

Depuis des années le Dr Durant travaillait sur les fleurs composées. Tous les étudiants de son laboratoire collaboraient à ses recherches.

— Je tiens à vous montrer mon terrain d'expériences. Toute la famille m'aide à prendre soin de mon parterre de fleurs.

Des asters écarlates voisinaient avec de blanches marguerites. A l'arrière s'alignait une rangée de tournesols surplombant des soucis et des chrysanthèmes aux riches couleurs. A la demande de Gayle, King donna le nom scientifique de plusieurs espèces qu'elle ne connaissait pas. Un jour, se dit-elle, j'aurai moi aussi mon jardin où je cultiverai les plantes que j'aime.

En se dirigeant vers l'enclos d'herbes aromatiques, le petit groupe longea une plate-bande de fleurs aux nuances pourpres qui ressemblaient à des mufliers.

— Ma grand-mère les qualifiait d' « obéissantes », remarqua Steve.

— Oui, j'ai déjà entendu les vieux paysans utiliser cette appellation, répondit King. Mais je n'ai jamais su pourquoi.

Il s'était arrêté et avec intérêt regardait Steve qui se pencha et se mit à courber en tous sens les tiges des lourdes fleurs.

— Attention ! Tu vas les casser, s'exclama Gayle, horrifiée.

Mais les tiges, sans se rompre, conservèrent la forme imposée par la main de Steve.

— Voilà pourquoi on les surnomme ainsi, conclut-il avec un sourire. Je suppose que les fleuristes d'antan appréciaient leur docilité. Ils pouvaient composer des gerbes à leur guise.

King lui sourit avec cordialité.

— Je suis content d'avoir éclairci grâce à vous ce mystère.

— Moi aussi, ajouta une étudiante avec un regard admiratif en direction de Steve.

Ils continuèrent leur promenade.

— Je ne savais pas que ta grand-mère s'y connaissait, chuchota Gayle.

— Si. C'était son passe-temps favori. Quand j'étais petit garçon, j'adorais lui tenir compagnie dans son jardin. Elle me racontait l'histoire des fleurs. Pourquoi crois-tu que je suis tombé amoureux de toi ?

La brise ébouriffait les cheveux blonds de Steve et son regard n'avait jamais été plus sombre, plus émouvant.

— Et moi qui pensais que tu m'avais épousée parce que tu me trouvais jolie et intelligente !

52

— J'admets que ces qualités-là m'ont influencé aussi.

Impulsivement, il passa son bras autour de sa taille et la serra un instant contre lui. Steve avait donc une grand-mère qui se piquait de botanique : bonne surprise pour Gayle qui était loin d'avoir totalement accepté la découverte de son séjour à Neenah. Apprendre soudain que son mari était issu d'une des familles les plus riches du pays avait été pour elle un choc dont elle ne s'était pas remise et qui la confortait dans l'idée qu'elle n'était pas une compagne à la mesure de Steve. Plus que jamais, la jeune femme était maintenant déterminée à faire ses preuves : elle obtiendrait coûte que coûte son doctorat.

De gros insectes bourdonnaient dans l'air.

— On ne peut comparer les moustiques du Missouri à ceux du Wisconsin, s'exclama Gayle. Regarde ! Ceux d'ici sont énormes.

— Tu les attires comme le miel. Les pauvres sont aussi désemparés que moi !

— Les pauvres ? Tu plaisantes ! Ils essaient de me dévorer !

Ensemble, King et Libby Durant les guidèrent jusqu'à leur jardin de plantes aromatiques. Tous deux paraissaient passionnés par le sujet et intéressés autant l'un que l'autre par les possibilités d'utilisation en cuisine.

— King, comment appelle-t-on celle qui a des feuilles vert foncé, là-bas ? demanda une étudiante. N'est-ce pas une sorte de menthe ?

— En effet, c'est un de mes élèves qui me l'a apportée. Quel est votre avis, Gayle ?

— Il me semble qu'on la surnomme l'herbe de Saint-Laurent. Elle est connue pour ses vertus stimulantes et son action contre les convulsions.

— C'est bien cela, confirma King, satisfait de la bonne réponse. *Hedeoma Pulegioides*. Sentez ! Quel arôme ! Elle est parfois utilisée dans la confection de crème glacée, de bonbons ou de pâtisserie. Libby et moi l'avons essayée.

— Ma grand-mère, dit Steve, la surnommait l'« herbe à moustiques ». Me permettez-vous, professeur Durant ?

King fit un signe d'assentiment. Steve cueillit alors quelques feuilles et les frotta entre ses doigts. Une senteur acide se répandit dans l'air.

— Ce parfum est censé décourager les insectes. Voyons s'il est efficace.

Joignant le geste à la parole, il frotta les feuilles contre les bras de Gayle et plus légèrement contre ses oreilles.

— J'espère que mon nouveau parfum ne va pas rebuter tout le monde.

— Je vais essayer moi aussi, dit Donna, l'étudiante. Décidément, vous en savez des choses, Steve.

— La plupart sont purement anecdotiques, répliqua-t-il modestement.

— Nous aurions besoin de votre grand-mère dans notre équipe à la faculté, s'exclama King. Je suis toujours stupéfié par la profonde connaissance que les anciens avaient de la nature. Bien sûr, la guérison par les plantes demeure une question non résolue. Il faudrait étudier chaque cas scientifiquement. Tout de même, ils savaient tirer parti de tout avec une intelligence remarquable.

Gayle sourit à son mari, fière de lui. Un moment, elle avait craint qu'il ne se sentît pas tout à fait à l'aise ce soir. De son côté, la jeune femme n'avait guère apprécié le cocktail donné par le Dr Bronsky, qui supervisait la thèse de Steve. Le professeur, ainsi que la plupart des collègues de Steve dont une minorité d'étudiantes, l'avaient traitée comme une petite fille sans cervelle, incapable de comprendre un domaine aussi complexe que l'économie. Irritée, Gayle avait passé une soirée ennuyeuse et s'était sentie exclue. En revanche, elle aurait dû savoir qu'elle n'avait nul besoin de s'inquiéter pour Steve. Son aisance naturelle le portait au premier plan dans n'importe quelle situation.

— Je crois que cette menthe éloigne effectivement les insectes.

Main dans la main, ils revenaient lentement vers la maison.

— Bien. Veux-tu une bière, ma chérie ?

— Non, merci. Il vaut mieux que je fasse attention.

— Pourquoi ne pas te détendre et t'amuser vraiment ?

— Plus tard, peut-être.

Après s'être servis copieusement, Steve et Gayle s'assirent en compagnie de Donna et de Mel, un étudiant, autour d'une petite table basse sur la terrasse. La conversation était animée. Le saumon fumé de King se révélait particulièrement savoureux. Steve avait immédiatement sympathisé avec l'autre couple. La nouvelle qu'il était apparenté aux Weston de Neenah s'était répandue comme une traînée de poudre parmi les invités. Quand Mel commença à lui poser des questions, il répondit d'une manière évasive et détourna habilement le sujet.

Le dîner s'acheva par une tranche de pastèque et le café. Comme l'air se rafraîchissait, Gayle se félicita d'avoir emporté son shetland jaune pâle. Tracy, qui était jusque-là restée avec les autres enfants, était revenue manger son dessert.

— Maman, regarde, dit-elle tristement en tendant sa poupée de chiffon. Katy est malade.

Libby souleva la robe pour constater que le tissu couleur chair était déchiré. Le rembourrage commençait à s'échapper.

— Ce n'est rien. Nous verrons comment arranger ce petit malheur demain, assura-t-elle.

En même temps, elle caressa la tête blonde avec affection.

Gayle surprit le regard désolé de l'enfant.

— Je crois que j'ai une épingle de nourrice dans mon sac, Tracy. Voyons ce que nous pouvons faire.

— Ah ?

Soulagée, la petite ébaucha un sourire. Avec précaution, Gayle prit la poupée et, tirant doucement sur l'étoffe, parvint à reformer le corps.

— Voilà. Tu peux jouer avec Katy en attendant que ta maman ait le temps de la recoudre.

— Comme vous êtes gentille !

Impulsivement, elle attrapa Gayle par le cou et déposa un baiser mouillé sur sa joue. Le geste alla droit au cœur de la jeune femme qui le lui rendit avec tendresse. Tandis que Tracy s'éclipsait, sa poupée dans les bras, Gayle s'aperçut que King avait observé la scène. Il souriait.

Bientôt, les invités se levèrent. Certains continuaient à bavarder par petits groupes, selon leurs affinités, en buvant leur bière. Puis Steve se retrouva assis au piano. Il commença par accompagner ceux qui avaient envie de chanter puis joua au pied levé des airs à la mode et des morceaux de jazz. Il se débrouillait fort bien et réussit à improviser de petits couplets aussi drôles que ridicules. En quelques minutes, une dizaine d'invités enthousiastes l'entourèrent, riant et tapant dans leurs mains.

56

— Il est merveilleux, Gayle ! s'exclama Libby.

— C'est bien mon avis, répliqua la jeune femme avec fierté.

Un peu plus tard, King et Libby annoncèrent qu'on allait jouer aux charades.

— Vous ferez partie de mon équipe, Gayle ! décida King.

— Oh ! Je crois que je préférerais simplement regarder.

En réalité, elle se sentait intimidée à l'idée de mimer devant tout le monde les titres d'œuvres choisis pour son groupe.

— Allons donc ! Vous avez besoin de vous détendre un peu et de vous amuser. Vous êtes presque trop sérieuse, Gayle.

— Peut-être regretterez-vous un jour vos propos, King !

— Je ne pense pas. Au fait, je vous ai vue arranger la poupée de Tracy. C'était une attention délicate de votre part.

— Il y a quelque chose chez Tracy qui évoque pour moi la petite fille que j'ai été.

Libby proposa que Steve fût nommé capitaine de l'équipe adverse. Beau joueur, ce dernier accepta. Gayle savait pourtant qu'il était désappointé qu'elle ne fût pas dans son camp. Mais il n'en montra rien.

Steve exécuta ses pantomimes avec brio. Dieu, qu'il était drôle ! Excitée, Gayle riait aux éclats avec ses coéquipiers puis réfléchissait ensuite intensément. Comme elle était fière de Steve ! Comment s'en sortirait-elle quand son tour viendrait ? Par bonheur, grâce aux encouragements de King qui réussit à lui donner la confiance qui lui manquait, elle oublia son trac et s'en tira remarquablement. Pendant un bon moment, les deux équipes furent au coude à coude.

— Montre-leur, Gayle ! cria Donna pour la soutenir.

La jeune femme se leva et prit un morceau de papier qu'elle enroula pour former un cylindre. Quand sa main effleura par inadvertance celle de Steve, il lui fit un clin d'œil. Finalement, elle commença à mimer le titre de Shakespeare, *Mesure pour mesure*. Elle fit semblant avec adresse de verser l'eau dans un verre gradué puis de l'élever vers la lumière pour lire les indications. King devina en trente secondes et Gayle se rassit, soulagée.

Pendant ce temps, Steve l'observait avec des sentiments mêlés. La gaieté générale ne l'avait pas empêché d'être attentif et de remarquer à quel point les réactions de King et de Gayle s'accordaient. Ils avaient beaucoup trop de choses en commun. Et, même si King apparaissait heureusement marié, se disait Steve, il eût fallu qu'il soit aveugle pour demeurer totalement indifférent au charme et à la fraîcheur de Gayle.

Pensif, il revoyait la tête brune du professeur se pencher vers elle avant le début du jeu. Que lui disait-il ? Quel joli sourire avait Gayle ! Quels incroyables yeux verts ! Si seulement cet homme n'avait pas été aussi séduisant ! Qui plus est, en tant que professeur à la réputation internationale, il était à même d'aider la carrière de Gayle comme jamais Steve ne pourrait le faire.

Pendant un moment, il repoussa les démons qui surgissaient dans son esprit et s'efforça de se concentrer sur le jeu. Il vit Libby mimer comiquement un insecte qui pique et donna aussitôt la bonne réponse : moustique. D'autres numéros suivirent. Enfin l'arbitre annonça que l'équipe de Steve, plus rapide, avait gagné. La nouvelle fut saluée avec force exclamations et vivas. Dans le camp adverse, il y eut quelques sourires penauds.

— C'était beaucoup plus difficile pour nous, lança Donna avec un air de défi.

— Vous vous êtes très bien battus, répliqua Steve en s'adressant à tous.

Il croisa le regard de Gayle. Certes, elle n'aimait pas perdre. Mais elle lui adressa un sourire plein d'humour et, dans les merveilleux yeux verts, il lut la fierté qu'il lui inspirait.

King vint lui serrer la main.

— Bien joué, Steve !

Dès cet instant, les invités commencèrent à partir. Tandis que Gayle rassemblait ses affaires, Steve l'entendit échanger quelques mots avec Donna.

— Je t'aiderai à apprendre ces équations de biochimie si tu as des difficultés.

— Vraiment ? Cela ne t'ennuierait pas ? C'est vrai, les formules me donnent du fil à retordre.

— Tu verras, dix minutes par jour suffiront.

Blessé, Steve détourna la tête. Gayle acceptait volontiers l'aide de Donna alors qu'elle avait refusé la sienne quand il la lui avait proposée, sur la route de Neenah. Il ne comprenait pas. Pourquoi avait-elle décliné son offre pour accepter celle de quelqu'un d'autre ? Préoccupé, il s'efforça de remercier chaleureusement leurs hôtes. Gayle avait-elle commencé à vivre une partie de sa vie sans lui ? Et, si tel était le cas, n'y avait-il pas un rapport évident entre ce choix et l'admiration sans bornes qu'elle portait au Dr Kingsley Durant ?

5

Gayle jeta un coup d'œil à sa montre et laissa échapper un petit cri. Bientôt sept heures! Elle avait rendez-vous avec Steve dans quelques minutes.

Après ses cours du matin, elle avait passé l'après-midi au laboratoire du Dr Durant. Son travail consistait à comparer les protéines de plusieurs espèces de fleurs composées pour les regrouper par famille — opération délicate et importante.

Décidément, ces jours-ci, ses activités universitaires prenaient tout son temps, pensa-t-elle en enfilant précipitamment sa veste.

— Donna, je reviens dans trois quarts d'heure. J'en profiterai pour aller voir les spécimens en serre. Si King arrive, dis-lui que je resterai ce soir pour terminer la série.

— Entendu. Prends ton temps. D'ailleurs, tu pourrais aussi bien finir demain.

Mais Gayle était déjà partie en direction de la serre. En hâte, elle arrosa les fleurs de pissenlits rapportées de la campagne. Dieu merci, elles semblaient survivre à leur brutale transplantation. Elle vérifia rapidement l'état des autres fleurs. Les asters sauvages de King n'avaient pas besoin d'eau, pas plus que les soucis qui s'épanouissaient avec vigueur. Rassurée, elle courut vers le petit restaurant voisin du campus où l'attendait Steve.

— Bonjour, ma chérie.

Empressé, il se leva de table et tira pour elle une chaise. Il portait un pull-over bleu ciel par-dessus sa chemise blanche et un jean étroit qui lui moulait les cuisses. Comme il était séduisant ! En dépit de sa fatigue, elle vit les regards d'envie que lui décochaient les autres femmes.

— Je suis vraiment désolée d'être en retard, dit-elle à bout de souffle. En chemin j'ai dû m'arrêter à la serre.

Sans rancune, il lui sourit et se pencha vers elle pour déposer un léger baiser sur ses lèvres. Galamment, il l'aida à retirer sa veste.

— J'ai passé notre commande habituelle de sandwichs et révisé mes cours en t'attendant.

Il désigna la pile de livres et le gros classeur posés sur le rebord de la fenêtre.

— Tout de même, je commençais à me demander s'il ne t'était pas arrivé quelque chose.

— Non, voyons. Comment s'est déroulée ta classe, ce matin ?

Gayle faisait allusion au cours que Steve donnait comme assistant.

— Très bien, assura-t-il avec le sourire. A moins que tu ne me tiennes rigueur des deux étudiants qui ont failli s'endormir au dernier rang ! Ils ont dû passer une nuit agitée, j'imagine.

— Ah oui... Dormir ! Quel bonheur !

Gayle n'avait pu retenir un bâillement.

— Moi aussi, je dormirais volontiers quelques heures.

— Tu as du sommeil en retard, ma chérie.

Le visage de Steve avait pris une expression soucieuse.

— Tu as veillé longtemps hier soir après que je suis allé me coucher, n'est-ce pas ?

— Il le fallait bien, Steve !

Aussitôt sur la défensive, elle regretta d'avoir laissé paraître sa fatigue.

— Quand nous rentrerons, tu pourrais te reposer un peu.

Gayle but une gorgée de café.

— Crois-moi, rien ne me plairait davantage. Mais je dois retourner au laboratoire pour finir mon étude sur les protéines. J'essaierai d'être à la maison vers neuf heures, neuf heures et demie.

Sans mot dire, Steve la fixa un instant. King Durant serait-il présent ce soir ? Etait-il possible que Gayle préférât la compagnie de son professeur à la sienne ? Cette pensée lui était intolérable.

— Ne peux-tu terminer demain ? insista-t-il. Nous aurions besoin de passer plus de temps ensemble.

— Je sais, Steve... mais je dois compléter mon rapport : King veut que nous vérifions ensemble tous les résultats demain après-midi et j'ai cours toute la matinée.

Décidément, seuls comptaient les désirs de King, maintenant, songea Steve avec humeur. Il étala de la moutarde sur son sandwich et y mordit rageusement. Gayle ne montrait guère d'appétit.

— Tu sais, j'aimerais mieux rentrer directement avec toi.

— C'est ce que je me demandais, répliqua-t-il froidement.

Il leva la tête. Les incroyables yeux verts avaient une expression si implorante qu'il se radoucit.

— Nous serions obligés de travailler de toute manière, lui fit remarquer Gayle.

— Sans doute, mais l'important est d'être ensemble. J'aime te voir chaque fois que j'en ai envie. Il me suffit de tendre le bras pour te caresser les cheveux... même une seconde, ou te donner un petit baiser.

En même temps qu'il parlait, il ne pouvait s'empêcher de penser avec amertume que Gayle était devenue si préoccupée ces derniers jours qu'elle semblait à peine se souvenir de son existence.

— Oh! Steve!

Emue, la jeune femme eut un sourire adorable. Le regard vert s'assombrit, devint mystérieux. Ses paroles l'avaient touchée, il en était sûr. Il aurait voulu pouvoir lui témoigner son amour, là, tout de suite. Evidemment, c'était impossible. Il se promit de la prendre dans ses bras dès qu'elle rentrerait ce soir. Elle oublierait alors le laboratoire, ses maudites expériences sur les protéines et... le Dr Kingsley Durant!

Un vent froid soufflait du lac et de gros nuages s'amoncelaient dans le ciel. Frileusement, Steve remonta la fermeture Eclair de son blouson.

Il s'inquiétait au sujet de Gayle. Vraiment, elle travaillait trop dur. Car, pour lui, il n'y avait aucun doute. Intelligente et douée comme elle l'était, elle réussirait à obtenir son diplôme. A condition toutefois qu'elle apprît à se ménager. Après des semaines passées à étudier sans relâche, elle avait besoin de se détendre un peu et de prendre du repos.

Depuis qu'ils s'étaient installés à Madison, ils se

retrouvaient de plus en plus rarement dans les bras l'un de l'autre. Chaque fois que Steve la désirait, Gayle était soit plongée dans ses livres, soit profondément endormie. Il répugnait alors à la réveiller, sachant combien elle avait besoin de son sommeil. De la même façon, il ne pouvait se résoudre à interrompre son travail. Elle se faisait un tel souci pour ses études !

Quand ils vivaient encore à Dallas, Gayle avait paru très fière des succès universitaires de son époux, particulièrement quand il avait obtenu brillamment sa maîtrise. Elle l'avait adulé comme un héros. A tel point qu'il s'était posé la question : l'aimait-elle vraiment d'amour ? Si l'admiration dominait, alors Steve avait de sérieux problèmes. Avec sa renommée internationale, le Dr Durant pouvait symboliser toutes les aspirations de Gayle. Il était clair que la jeune femme l'idolâtrait. Cet homme-là était tout désigné pour devenir son mentor et son guide. Steve se crispa. Le professeur était-il sur le point de l'éclipser dans le cœur de Gayle ?

La soirée chez les Durant l'avait beaucoup troublé. Il savait que l'ambiance chaleureuse avait rappelé à son épouse le climat familial qu'elle connaissait dans la maison de sa tante Beth. Quel contraste, se disait-il, entre la gaieté qui régnait chez King et l'atmosphère conventionnelle de la demeure victorienne où il avait grandi !

Ils n'avaient pas reparlé du séjour à Neenah. Quels étaient les sentiments de Gayle à cet égard ? Il l'ignorait. Depuis ce fameux week-end, elle s'était jetée à corps perdu dans son travail. Oui, elle étudiait avec encore plus d'acharnement qu'auparavant. Pourquoi ? Si seulement elle s'était davantage confiée à lui !

Peut-être avait-il commis une erreur en retardant la visite à Neenah. Il fallait bien qu'un jour elle apprît qu'il était l'héritier de la Société Weston. Mais il avait toujours repoussé l'inévitable. Savoir qu'il était aimé pour lui-même et non pour sa colossale fortune le rassurait. A chaque instant de leur vie commune, il s'émerveillait de la fraîcheur, de la simplicité de la jeune femme, en amour comme dans les plus petits détails quotidiens. C'était lui et lui seul qui avait inspiré ces sentiments si forts et non le prestige de sa famille et de son nom. Comment ne pas hésiter à remettre en cause un attachement aussi précieux ?

Pendant des années, ses parents avaient essayé de faire pression sur lui pour qu'il revînt à Neenah prendre la direction de l'entreprise familiale. Mais cet avenir tout tracé ne correspondait pas aux aspirations de Steve. C'est pourquoi il espérait que Gayle et lui s'en sortiraient pendant ces années d'études sans être obligés de recourir à l'aide financière que lui proposaient ses parents.

Sachant qu'elle n'avait pas la moindre idée de la fortune des Weston, il avait presque regretté leur nomination dans le Wisconsin. Que n'avaient-ils obtenu des postes équivalents dans n'importe quel autre Etat du pays ! Bien entendu, il n'avait rien dit de ses soucis. Gayle paraissait si heureuse ! En un sens, le Wisconsin semblait la solution idéale à leurs problèmes financiers mais il n'avait pu s'empêcher d'éprouver une certaine appréhension. Que se passerait-il à Madison ? Et s'il la perdait ?

C'était vrai qu'il avait tendance à être déraisonnable à son sujet. Lui, si rationnel et maître de lui-même, perdait tout sens de la mesure lorsqu'il s'agissait de Gayle. C'était plus fort que lui. Il l'aimait tant !

Résolument, Steve fourra les mains dans les poches de son blouson et redressa les épaules. Gayle était le plus beau cadeau que lui ait fait la vie. Elle était si différente de toutes les séductrices intéressées qu'il avait pu rencontrer jusque-là. Il ne la perdrait pas. Jamais! Il était prêt à se battre pour la garder!

Son regard se porta sur le feuillage roux des érables qui surplombait le campus. L'été indien avait été exceptionnellement long cet année. Fin octobre, le paysage resplendissait encore de tonalités éclatantes.

Dans une rue voisine, il s'arrêta devant une boutique, attiré par l'étalage.

— Ce serait parfait, murmura-t-il pour lui-même.

Son visage s'était éclairé d'un sourire. La petite bande des premier et deuxième étages avait décidé de se déguiser pour fêter Halloween et participer au défilé qui se déroulerait dans la Grand-Rue. Phil avait proposé au jeune couple de les accompagner. Le costume que Steve venait d'apercevoir dans la vitrine réveilla son enthousiasme. Voilà qui ne manquerait pas de plaire à Gayle.

Sans hésiter, il pénétra dans le magasin.

Le 31 octobre, Gayle rentra du laboratoire vers dix-huit heures. A peine eut-elle franchi le seuil qu'elle nota l'odeur alléchante qui emplissait l'appartement.

— Hum! Comme ça sent bon!

Curieuse, elle fila directement à la cuisine. Le sourire aux lèvres, Steve s'affairait devant une énorme casserole.

— Ce soir, tu auras l'honneur de déguster ma spécialité : le *chili con carne*. Un chef-d'œuvre, si j'ose m'exprimer ainsi ! Tu sais, à une époque, j'ai partagé un studio à Dallas avec un étudiant originaire d'El Paso. C'est lui qui m'a enseigné les secrets de ce plat mexicain. Depuis, j'ai considérablement amélioré la recette.

Devant son enjouement et sa fierté de petit garçon, Gayle réprima un sourire. Il avait même réussi à se mettre un peu de sauce sur la joue qu'elle essuya avec tendresse.

— Fais-moi goûter !

Avec gravité, il souffla sur la cuiller brûlante et lui tendit une bouchée de viande aux haricots.

— C'est délicieux ! Je ne savais pas que tu avais ces talents de cordon-bleu ! Quand passons-nous à table ? Tu m'as mis l'eau à la bouche !

— Ce soir, nous dînons au deuxième étage. Dès que tu seras prête, nous rejoindrons les autres. Vera a promis de préparer une salade en entrée et les autres un dessert. Nous allons fêter Halloween et nous divertir un peu !

Impétueusement, il l'attira contre lui et lui donna un baiser ardent.

— Tu vas voir. Quand on décide de s'amuser à Madison, on ne fait pas les choses à moitié !

Préoccupée, elle leva les yeux vers lui.

— Ont-ils l'intention de se déguiser ?

— En effet.

Il essayait de garder son sérieux mais le regard brun pétillait.

— Je me demande vraiment ce que je vais porter. Je n'ai rien préparé. D'ailleurs, je ferais mieux de me concentrer sur mes cours de biochimie, ce soir.

Steve l'entraîna vers le salon et lui fit signe de s'asseoir.

— Ne bouge pas et ferme les yeux. J'ai une petite surprise pour toi !

Que manigançait-il ? Quel être adorable... et si content de ses petits mystères. Comme elle l'aimait !

— Tu ne regardes pas, n'est-ce pas ?

Sa voix lui parvenait un peu étouffée. Il devait chercher quelque chose dans la penderie.

— Promis. Dépêche-toi !

Enfin, elle l'entendit s'approcher.

— Ça y est ?

— Attends une seconde, il faut que j'arrange quelque chose. Bon, maintenant, tu peux.

— Steve ! Qu'est-ce que...

Les yeux verts s'arrondirent de stupéfaction.

— Je te plais ?

Sur ses cheveux blonds, il portait une coiffure figurant un tournesol. Quel contraste entre son visage si masculin à la mâchoire carrée et cette énorme fleur ronde ! Qu'il était drôle ! Pour ajouter au comique de son apparition, il avait revêtu une tunique drapée en tissu vert pomme qui lui descendait à mi-jambe. Sur les manches, étaient cousues les feuilles. Avec son air réjoui, il était irrésistible !

— *Helianthus annuus !* balbutia-t-elle entre deux hoquets de rire.

— J'ai l'impression que ce costume te conviendrait davantage, dit-il.

— Oh non ! Impossible d'être plus cocasse que toi. Où as-tu déniché ce déguisement ?

— Il trônait dans la vitrine d'une boutique près du campus. Dès que je l'ai aperçu, j'ai su qu'il était pour toi.

Gayle fut profondément touchée. Son choix ne pouvait être plus heureux.

— Les tournesols font partie de la famille des

fleurs composées qu'étudie King. Tu t'en souvenais ?

Il fit un signe d'assentiment.

— Oui, je me rappelle les avoir vus dans son jardin.

— Si nous allons à la parade avec les autres, que porteras-tu ?

Finalement, la bonne humeur de Steve était contagieuse.

— Attends, tu vas voir. J'ai trouvé quelque chose qui correspond tout à fait à mon domaine.

Prestement, il retira la coiffure et la tunique.

— Il y avait donc bien l'homme de ma vie là-dessous, plaisanta Gayle.

— Et comment ! répliqua-t-il avec un clin d'œil coquin.

Il disparut de nouveau dans les profondeurs de la penderie pour réapparaître quelques instants plus tard.

— Vive l'Economie ! s'écria Gayle tout excitée. Oh ! J'adore ce costume !

Steve faisait maintenant l'homme-sandwich. Chaque placard reproduisait une page du *Journal financier* de Wall Street. A travers le masque, où figuraient des billets de banque de tous les pays, Gayle apercevait ses yeux brillants.

— Ces costumes sont fantastiques ! Je n'ai jamais rien vu de pareil.

— Oui, je les ai trouvés très astucieux.

Quelques minutes plus tard, la jeune femme chantonnait dans la salle de bains, tout heureuse à l'idée de la bonne soirée qui l'attendait. Elle se lava le visage et les mains, brossa ses boucles noires. Une petite touche de fard à joues sur les pommettes, un peu de parfum derrière les oreilles : elle était prête. D'un commun accord, ils décidèrent de revenir après le dîner revêtir leurs déguisements. Muni de gants matelassés, Steve emporta l'énorme marmite de *chili* vers l'appartement de leurs amis. Gayle le suivait avec une assiette de biscuits salés. Ce fut Vera qui les accueillit.

— Gayle! Où te cachais-tu ces derniers temps? On ne t'a pas vue depuis des semaines!

— Elle travaille trop, répondit Steve en déposant son fardeau sur le fourneau. Mais ce soir, nous allons remédier à cet état de choses!

Jerry et Doug, deux étudiants en droit qui habitaient au premier, arrivèrent à ce moment-là, les bras encombrés de bouteilles de bière fraîche. Le *chili* de Steve déchaîna l'enthousiasme.

— Si tu ne réussis pas en économie, tu pourras ouvrir un restaurant mexicain, lança Phil.

Détendue, Gayle riait et plaisantait comme les autres, emportée par la bonne humeur générale. Elle était toujours aussi gaie quand, de retour à l'appartement, elle enfila une paire de collants et un pull-over émeraude avant de revêtir son costume. La tunique qui lui arrivait aux chevilles mettait merveilleusement en valeur son corps de liane.

— Je savais qu'il était fait pour toi! Tu es superbe!

— Merci, monsieur.

Facétieuse, elle esquissa un rond de jambe dans sa direction, tout en battant des cils comme une coquette. Lorsque, en ajustant les pétales autour de sa tête, elle aperçut son image dans le miroir, elle ne put s'empêcher de rire. La coiffure évoquait pour elle ces parures en plumes d'autruche que portaient les danseuses de revue à Las Vegas ou à Paris.

— Avec tes cheveux noirs pour former le cœur de la fleur, c'est parfait.

— Les tournesols ne sont pas vraiment noirs au centre. Tu penses sans doute aux soucis.

— Si tu veux. Quoi qu'il en soit, je suis sûr d'une chose : je t'aime.

Rayonnante, Gayle se précipita vers Steve pour lui donner un baiser et, pouffant de rire, se heurta au bouclier cartonné que formait son costume. Sans cesser de plaisanter, ils finirent de se préparer et descendirent rejoindre les autres.

C'était une soirée extraordinaire. Gayle avait l'impression d'être tout à coup transportée dans un autre monde. Des orchestres jouaient au coin des rues des airs endiablés. Une foule bigarrée et farfelue se pressait de tous côtés. C'était un jeu désopilant d'essayer d'identifier les amis et collègues sous leurs déguisements. Tout le monde chantait et dansait. Des cris et des appels fusaient de toutes parts. C'était à la fois Mardi-Gras, le carnaval de Rio, la parade annuelle de la Cinquième Avenue à New York et le bal des Beaux-Arts à Paris, tout réuni.

Pour la première fois, Gayle découvrit à quel point leurs voisins pouvaient être drôles. Grâce à la solide camaraderie qui était en train de s'établir entre eux, la jeune femme retrouvait une gaieté d'enfant qu'elle avait depuis longtemps oubliée.

— Steve, comme je suis heureuse d'être venue ! Quelle bonne idée tu as eue ! Pour rien au monde, je n'aurais voulu manquer cette fête.

— Moi aussi, je suis content de voir que tu t'amuses un peu.

Après le tour traditionnel jusqu'au Capitole, Jerry proposa l'idée suivante : pourquoi ne pas rendre visite à leurs professeurs comme les enfants qui faisaient ce jour-là du porte-à-porte pour réclamer des bonbons ? Après avoir montré leurs costumes aux enseignants de la section de droit, ils allèrent tous tirer la sonnette du Dr Bronsky, le directeur du département économie. C'est alors que Steve suggéra de se rendre chez les Durant.

— Je suis certain que leurs enfants apprécieront nos déguisements, surtout Tracy.

En son for intérieur, il se disait qu'après tout ce ne serait pas une si mauvaise chose de rappeler à King la jeunesse de Gayle et celle de son époux.

— Je ne sais pas, Steve.

Le Dr Durant apprécierait-il vraiment qu'on le dérange à dix heures du soir ?

— Nous pourrions rendre visite à un professeur de musique, suggéra-t-elle en se tournant vers Phil.

— Le Dr Durant habite à deux pas. Allons d'abord chez lui, répliqua ce dernier.

Quand ils parvinrent sur le seuil de la maison, elle se tourna vers Steve.

— Et si tu sonnais, toi ? Il ne pourra pas t'identifier derrière ton masque.

— Tu ne veux pas qu'il te reconnaisse ?

— Pas vraiment. Cela me gêne un peu, je l'avoue.

King répondit lui-même. Amusé, il contempla un instant le petit groupe insolite qui avait envahi le porche.

— Eh bien ! Qui avons-nous là ?

A demi cachée entre les jambes de son père, Gayle aperçut Tracy en costume de Petit Chaperon rouge. Sur le ton monocorde d'un reporter en direct de Wall Street, Steve se mit à donner les cours de la Bourse.

— L'or gagne un point sur le marché des changes...

King eut un sourire appréciateur.

— Nous avons affaire à de grands enfants, Tracy. Voyons, cette voix ne me paraît pas inconnue.

Selon la coutume, il leur offrit des bonbons. C'est alors que Steve poussa Gayle dans le rond de lumière. La jeune femme ne recula pas. Mutine, elle prit la pose avec le sourire, les bras légèrement en l'air pour déployer ses feuilles. Allait-il la trouver jeune et charmante ou complètement idiote ?

— Gayle Weston ! Vous êtes ravissante dans cet accoutrement. Entrez, entrez tous ! N'est-ce pas Steve derrière le masque ? Eh bien ! Je dois dire que vous avez de l'imagination.

Il se pencha vers sa fille.

— Tu te souviens de Gayle, Tracy ? Regarde, elle est déguisée en tournesol !

— Oui, comme dans notre jardin.

Tracy ouvrait de grands yeux ronds.

— Je me rappelle : c'est la dame qui a arrangé ma poupée !

— Venez au salon. Libby ! Regarde qui est venu nous rendre visite.

Après les présentations, les Durant offrirent de la bière et du cidre. King voulut prendre tout le monde en photo et insista pour que Gayle posât seule pour lui. Un feu crépitait dans la cheminée. Tracy s'était installée à côté de la jeune femme et ne bougeait plus.

— Je crois, Gayle, que vous avez trouvé une amie, déclara King.

— Oui, une grande amie, acquiesça-t-elle en serrant la petite contre elle. Je ne voudrais pas que le grand méchant loup la dévore

— Oh non !

Tracy n'était qu'à demi rassurée. Mais ses craintes enfantines disparurent quand elle leva des yeux adorateurs vers Gayle.

— Je trouve que tu es un très beau tournesol.

Pendant ce temps, King regardait son élève sans

chercher à dissimuler son admiration, songeait Steve. Il commençait à regretter sa suggestion. Le professeur semblait un peu trop apprécier la compagnie de sa jeune et ravissante épouse.

La tunique de fin jersey soulignait les courbes de son corps. Une fente s'ouvrait sur le côté, révélant une jambe longue et galbée. King contemplait ce tableau charmant avec un plaisir évident, se dit Steve, amer.

— Avez-vous remarqué notre déesse, King ?

Dans l'intention de détourner son attention de Gayle qui s'entretenait avec Phil et Tracy, il désigna Ingrid. La blonde étudiante était fort séduisante ce soir-là dans son costume de Brunhilde.

Distrait, King lui jeta un coup d'œil et acquiesça machinalement.

— Etonnante, n'est-ce pas ? laissa-t-il échapper avant de revenir à Gayle.

Steve s'assombrit.

— Je suis content de voir que vous vous amusez un peu, poursuivit King en s'adressant à la jeune femme. Nous avons tous besoin de nous divertir quand nous travaillons aussi dur à la faculté.

Ses propos reflétaient exactement l'avis de Steve. Pourtant, il ne put s'empêcher de serrer les poings. En dépit de son apparent bonheur familial, King était-il le genre d'homme à entamer une aventure avec une de ses étudiantes ? Si c'était effectivement le cas, comment Gayle réagirait-elle ? Steve ne supportait pas l'idée qu'ils passaient tous deux de longues heures ensemble au laboratoire.

Seigneur, s'il commençait à être aussi soupçonneux... Il perdait décidément tout sens commun. Allons, il devait se reprendre. Il but une dernière gorgée de bière et se leva brusquement.

— Bon, je crois que nous allons rentrer, King. Merci beaucoup pour votre accueil.

Surprise, Gayle le regarda.

— Le Dr Durant et moi sommes en train de discuter, dit-elle avec une nuance de reproche dans la voix.

— Pas de conversation sérieuse autorisée ce soir, répondit Steve avec une apparente désinvolture. C'est Halloween.

En deux enjambées, il fut près d'elle et lui saisit la main. King eut un sourire perplexe.

— Je crois que Steve a raison. Ce n'est pas le moment de parler travail. Faut-il que vous partiez si tôt ?

— Je le crains.

Le ton était courtois mais ferme.

Après leur départ, Steve eut l'impression qu'en dépit de tous ses soins, la célébration de la fête se terminait en queue de poisson. Il n'était plus aussi content de son initiative. Leur visite à King Durant s'était finalement révélée à double tranchant.

Une semaine plus tard, alors que Gayle terminait un devoir qu'elle devait rendre le lendemain, le téléphone sonna. Steve se leva pour répondre.

— Allô ? Oh ! Maman !

Après quelques minutes de conversation, il couvrit l'appareil de la main afin que Paula ne puisse entendre.

— Mes parents rentreront d'un congrès à Hawaii la veille de Thanksgiving. A la même date, Lily doit subir une opération. Qu'en penses-tu ? Si nous les invitions ?

Gayle fit aussitôt un signe d'assentiment. Voilà qui lui donnerait l'occasion de montrer aux Weston ses talents de cuisinière. Plus que tout au monde, elle tenait à démontrer qu'elle était digne de Steve. Elle se leva et s'empara du téléphone.

— Venez donc fêter Thanksgiving avec nous. Nous serons ravis de vous recevoir.

— C'est très gentil de votre part mais nous ne voulons pas nous imposer. Je sais que vous êtes surchargée de travail. Nous aimerions mieux vous inviter au restaurant.

— Ce jour-là ! s'exclama Gayle.

La croyait-elle incapable de préparer correctement un repas de fête ?

— J'aurais été ravie d'accepter votre invitation mais, le jour de Thanksgiving, il n'en est pas question. De toute manière, j'aurai le week-end pour travailler.

— Bon, inutile de préparer la dinde traditionnelle avec sa farce. Vous aurez bien l'occasion de le faire plus tard. Pour le moment seules comptent vos études. Stephen et moi ne voulons pas vous déranger.

— Après ce merveilleux séjour à Neenah, c'est à notre tour de vous recevoir.

— N'oubliez pas que nous venons pour le plaisir de votre compagnie ; c'est ce qui importe.

Quand Gayle eut raccroché, Steve se tourna vers elle.

— Nous devrions accepter l'invitation de mes parents, chérie.

Comment lui expliquer à quel point ce dîner était important pour elle ?

— Non, je tiens à les recevoir ici, moi-même.

Il fronça les sourcils.

— Je te connais, tu vas vouloir les éblouir : tu n'as pas besoin de ce travail supplémentaire.

Est-ce que Steve doutait aussi de ses compétences en la matière ?

— Je m'organiserai. Je ferai les courses suffisamment à l'avance. Ne t'inquiète pas, tout ira bien.

En son for intérieur, Gayle était loin de ressentir autant d'assurance. Steve eut un instant d'hésitation.

— Bon, d'accord. A une condition : c'est que tu me laisses t'aider. Je ne veux pas que tu en fasses trop.

— Promis.

Mais, déjà, elle imaginait le repas extraordinaire qu'elle préparerait ce jour-là.

6

— La météo promet beaucoup de neige pour cet hiver.

Steve était en train de lire le journal. Comme d'habitude, Gayle travaillait à sa table.

— J'espère que le froid ne viendra pas trop vite. Je n'ai même pas pu profiter de ce bel automne.

— Je sais, ma chérie.

Il s'étira et bâilla longuement.

— Que dirais-tu d'une infusion ?

— Volontiers.

Elle avait répondu distraitement. Son regard restait fixé sur l'emballage de la rame de papier qu'elle s'apprêtait à déchirer : Société Weston. Depuis ce fameux week-end à Neenah, elle voyait ce nom écrit partout : sur les placards publicitaires, dans les magazines... A l'université, il y avait même une bourse d'études Weston attribuée à un étudiant en journalisme. D'un geste brusque, elle déchira l'emballage plastique et compléta son classeur.

— Tiens, petite fleur.

— Merci, mon chéri.

Dans son pull-over irlandais, Steve était ce soir particulièrement séduisant. Il vint s'asseoir à côté d'elle.

— Y a-t-il des marais dans la région du Missouri où tu es née ?

— Très peu. Pourquoi ?

— Je me demandais si tu avais déjà eu l'occasion de voir un paysage de marécages et de roseaux.

— Pas vraiment. De petits étangs, c'est tout.

— King serait peut-être content que tu découvres les fameuses étendues marécageuses du Wisconsin. Plus d'un tiers de sa superficie est recouvert d'eau.

— Je savais qu'il y avait beaucoup de lacs par ici mais pas à ce point-là.

— Près de neuf mille. Ils se sont formés pendant la période glaciaire.

Qu'avait-il en tête ? Taquine, elle lui donna un petit coup de coude dans les côtes.

— Où veux-tu en venir, Steve Weston ? J'ignorais que tu te souciais d'être aussi mon professeur de botanique.

— Moi ? Pas du tout.

Il lui jeta un regard faussement horrifié quand elle fit mine de le chatouiller. C'était quelque chose qu'il ne supportait pas.

— Allons, du calme ! Si tu commences, gare à toi !

Ses yeux brillants exprimaient sans détours le genre de représailles qui s'ensuivraient. Gayle soupira. Si seulement elle n'avait pas eu de travail urgent, elle serait passée à l'attaque.

Résignée, elle se contenta de boire une gorgée de tisane.

— Eh bien ! Dis-moi ce que tu as derrière la tête.

Ah ! Pourquoi avait-il ce regard brun délicieusement excitant alors qu'elle était contrainte de travailler ?

Un instant, il détourna la tête et se passa pensivement la main dans les cheveux. Quand ses yeux se posèrent de nouveau sur elle, tout désir en avait disparu.

— Il y a un très grand marais qu'on appelle le Horicon, pas très loin de Madison. Je pense que l'excursion t'intéresserait. Particulièrement à cette époque de l'année. Les oies du Canada qui émigrent vers le sud y font escale. C'est un spectacle magnifique.

— Oh oui ! J'adorerais les voir ! Est-il possible d'y aller en une demi-journée ?

— Peut-être, mais nous n'aurions pas vraiment le temps d'en profiter et tu ne pourrais pas étudier la végétation à loisir.

Il lui adressa un coup d'œil par-dessus sa tasse d'infusion.

— En fait, j'avais formé le projet de rester tout le week-end et de camper là-bas. Nous pourrions partir vendredi vers cinq heures et revenir dimanche.

Gayle se leva brusquement.

— Tu ne peux savoir à quel point j'aimerais y aller. Mais ce n'est pas possible, j'ai vraiment trop de travail.

— Il y a des semaines que j'aimerais t'emmener là-bas. Ce sera une promenade inoubliable. Les arbres vont bientôt perdre leur feuillage d'automne. Nous pourrions louer un canoë pour admirer les oies sauvages de plus près.

La tentation était forte. Steve lui dépeignait un petit paradis. Pourtant, quand elle songeait à tous les cours qui lui restaient à apprendre et toutes les tâches qui l'attendaient au laboratoire...

— Je ne peux pas, mon chéri.

— Réfléchis. C'est sans doute le dernier week-end de beau temps avant l'hiver.

Gayle frissonna à la pensée de la froide saison qui se préparait. Elle n'était ni accoutumée au rude climat ni habituée à vivre enfermée pendant des mois.

— Pourquoi ne pas demander l'avis de King ? Il serait peut-être content que tu ailles là-bas pour lui rapporter des spécimens. De plus, il peut se débrouiller samedi sans toi au laboratoire, pour une fois.

Steve avait sans doute raison. King serait intéressé et la pousserait à partir.

— Même s'il peut se passer de moi une journée, j'aurai mes cours à apprendre et un devoir difficile à rédiger.

— Ecoute, quand tu te seras changé les idées, tu accompliras ton travail deux fois plus vite. Et King appréciera que tu continues tes recherches en dehors de l'université.

— J'y penserai. Je vais lui en parler, c'est entendu.

Steve reposa sa tasse et alla glisser son bras autour de ses épaules.

— J'aimerais que tu ne te contentes pas d'y penser.

Elle releva la tête et rencontra son regard intense. Qu'il était beau !

— Tu utilises ton pouvoir de séduction pour me persuader. Ce n'est pas juste.

— Vraiment ? Et toi ? Tu ne t'en prives pas, je crois !

— Moi ? s'écria-t-elle, faussement indignée. Jamais !

En même temps, elle battait des cils, en une

irrésistible imitation de la belle Scarlett O'Hara. Impulsivement, il se pencha sur elle. D'abord léger, son baiser se fit de plus en plus pressant.

— D'accord, tu as gagné, admit-elle quand elle put reprendre son souffle.

— Ah !

— Je verrai comment King réagit. S'il me donne mon samedi et si je n'ai pas de travail supplémentaire, peut-être irons-nous là-bas.

— Peut-être ?

Il eut tôt fait de la renverser sur le canapé. Son corps lourd et musclé immobilisa complètement la jeune femme. Cela ne lui déplut pas.

La lumière rasante de fin d'après-midi jetait un éclat rougeoyant sur la cime des arbres. La petite Volkswagen filait à toute allure en direction du marais Horicon. Déjà, les érables commençaient à perdre leurs feuilles. Derrière la vitre, Gayle s'amusait à nommer toutes les espèces qu'elle reconnaissait : trembles et bouleaux aux troncs élancés, vieux chênes aux frondaisons cramoisies, noisetiers, ormes, hêtres, tout le paysage flamboyait autour d'eux. Exaltée par tant de beauté, elle aurait voulu pouvoir garder en mémoire chaque couleur en prévision de la grisaille de l'hiver.

Deux heures plus tard, ils installaient leur tente dans un camp tout proche du marais. Steve fit un feu de bois qui leur permit de manger de délicieuses pommes de terre en robe de chambre et des grillades.

Pendant la semaine, Gayle avait travaillé sans relâche. Maintenant, au milieu de la nature, elle retrouvait sa sérénité. Elle respira profondément l'air frais chargé de senteurs. Demain, ils découvriraient ensemble les merveilles qui les attendaient.

Emue, elle observait Steve qui, accroupi, surveillait la cuisson des steaks. Les flammes qui éclairaient son visage mettaient de l'or dans ses cheveux. Il était si beau, si désirable dans son jean délavé et sa chemise écossaise à carreaux bleus. Quand il releva la tête pour lui adresser un chaud sourire, elle se sentit fondre.

Il n'y avait guère d'autres campeurs en cette saison. Seuls tous les deux au milieu de la nature, ils savouraient leur intimité.

— Ce sera bientôt prêt. Peux-tu me donner une bière en attendant, ma chérie ?

Elle en profita pour réclamer un baiser. Serrés l'un contre l'autre, ils regardaient le feu danser dans l'obscurité. Aucun bruit, à l'exception du crépitement des flammes et des cris d'oiseaux.

— Heureuse, petite fleur ?

— Oui. Je ne me rendais pas compte à quel point j'avais besoin de tout cela.

Les yeux sombres l'enveloppèrent d'une indicible tendresse.

— Moi aussi, tu sais. Je me suis fait du souci pour toi, ces derniers temps.

— Je ne veux pas que tu t'inquiètes. Il n'y a pas de raison. Je vais très bien.

— Parfois, je n'en suis pas si sûr. Tu te surmènes. C'est de l'acharnement.

— Il y a des gens brillants comme toi et d'autres qui doivent faire beaucoup d'efforts, comme moi, pour parvenir au même résultat.

Gayle eut un petit sourire amer.

— Il n'y a pas tant de différence entre nous, protesta Steve. Tu sous-estimes tes possibilités.

— On verra bien. Quand j'aurai passé le cap de la première année, je serai plus tranquille.

— Sans doute mais... je crois qu'il y a autre

chose. Dis-moi si je me trompe. J'ai l'impression que ces efforts démesurés proviennent aussi de ton éducation : travailler dur et sans relâche.

Gayle acquiesça.

— C'est vrai. Particulièrement depuis la mort de mes parents. Quand nous avons vécu chez tante Beth, Connie et moi avons fait de notre mieux pour l'aider dans les tâches ménagères. Nous voulions lui montrer notre reconnaissance et ne pas lui imposer une charge supplémentaire.

Attentif, Steve lui prit la main avec une infinie douceur.

— Nous avons même été livreurs de journaux à une époque.

— Tu ne me l'avais pas dit.

— Nous avons partagé ce travail pendant environ deux ans. Puis Connie, plus âgée, a trouvé un autre emploi à mi-temps. J'ai continué seule. L'argent gagné nous permettait de payer la cantine, les fournitures scolaires et une partie de nos vêtements.

— Et vos cousins ? Travaillaient-ils aussi ?

— Ils n'aimaient pas trop aider dans la maison mais tous avaient de petits emplois à l'extérieur. C'était simplement une nécessité. Une crise cardiaque avait emporté le mari de tante Beth deux ans auparavant. A l'âge de quarante-trois ans, elle a dû apprendre un métier. C'est pourquoi elle nous a toujours beaucoup poussées à faire des études qui nous permettent de gagner notre vie.

Dans les yeux de Steve se lisait toute la compréhension du monde.

— Ces épisodes-là appartiennent au passé, ma chérie. Maintenant, je suis là pour m'occuper de toi et, crois-moi, rien ni personne ne pourrait m'en empêcher, même pas toi.

— Pourquoi le voudrais-je ?

— J'espère que cela ne se produira jamais, conclut-il doucement.

Ils vivaient des moments uniques. Pourquoi ne trouvaient-ils jamais le temps de parler ainsi à Madison ? se demanda Gayle. Il y avait toujours tellement à faire. Elle éprouva soudain l'irrésistible envie de s'ouvrir davantage.

— Tu sais, Steve, tu penses que je travaille trop dur mais c'est parce qu'à l'université je me sens vraiment chez moi. Là, on réussit uniquement grâce à ses efforts et selon ses mérites.

— Moi aussi, je l'ai toujours pensé.

— J'imagine que c'est pour cette raison que je voudrais enseigner la botanique à un niveau universitaire. C'est important pour moi. J'espère même trouver un sujet de recherche vraiment nouveau pour ma thèse, qui contribuerait à enrichir mon domaine. Même maintenant, mes expériences sur les protéines me passionnent. Mais toi, Steve ? Aimerais-tu enseigner l'économie.

— Peut-être... Ce qui me plairait davantage, c'est d'avoir une influence sur la vie économique de mon pays.

— Que veux-tu dire ?

— Je voudrais pouvoir participer à la vie économique américaine.

— Tu veux dire faire partie du gouvernement ? Gayle était abasourdie.

— Oui, ou travailler comme conseiller. Ces gens-là sont parfois confrontés à des problèmes passionnants. Mon père n'est pas de cet avis. D'ailleurs, il est probable que je gagnerais deux fois plus d'argent si j'étais le P.-D.G. de la Société Weston.

— Aucune importance. L'essentiel est que tu

fasses ce que tu aimes. D'ailleurs, je gagnerai ma vie, moi aussi.

— Oui, en plus des dividendes que m'a laissés mon grand-père.

— Je me demande à quoi ressemble la section de botanique de Georgetown, au cas où tu déciderais de travailler pour le gouvernement à Washington.

— Je ne sais pas. Mais tout cela ne résout pas nos problèmes actuels, poursuivit Steve sérieusement. Je me fais du souci pour ta santé et ton équilibre nerveux. Tu ne crois pas que tu pourrais te ménager un peu ? Apprendre à te détendre ? Il n'y a pas que la botanique dans la vie.

Gayle poussa un profond soupir.

— J'essaierai. Ne t'attends pas à un gros changement. Je suppose que je n'ai pas assez d'énergie pour à la fois travailler dur et me divertir.

— Si seulement je pouvais te faire comprendre : t'amuser un peu te redonnerait de l'énergie, justement. Comme de venir ici, par exemple.

— Tu admettras tout de même qu'un étudiant de second cycle dispose de loisirs limités.

— Bien sûr.

— Je regrette d'être obligée de travailler souvent tard le soir au laboratoire. Je préférerais de loin être à la maison en ta compagnie. Il ne faut pas que tu m'attendes pour te distraire. Si tu veux rejoindre nos amis ou sortir avec des collègues, je comprendrai.

— C'est avec toi que j'ai envie d'être, Gayle.

— Je sais, mais je ne veux pas t'empêcher de sortir. Enfin, dans quelques années, nous aurons nos doctorats ; les difficultés appartiendront au passé.

— Nous avons besoin l'un de l'autre dès maintenant, petite fleur. Je refuse de vivre indéfiniment dans l'avenir.

Gayle était heureuse qu'ils aient pu parler en toute franchise. Mais l'insistance de Steve la troubla. Il faisait si bon ici ! Avec fermeté, elle repoussa la discussion.

— En tout cas, je suis certaine d'une chose : je suis ravie d'être ici. Maintenant. Avec toi !

Ils avaient terminé leurs grillades. Elle sauta sur ses pieds et s'étira devant lui.

— Quand tu me provoques de la sorte, comment veux-tu que je réfléchisse sérieusement !

Elle lui rendit son sourire, heureuse de se sentir comprise.

Ils achevèrent leur repas par des cerises noires et juteuses. Puis, main dans la main, ils partirent se promener sous le clair de lune. Au loin, s'élevait le chant mélancolique d'un harmonica dans la fraîcheur de l'air.

— Regarde les étoiles, Steve.

— Certaines sont énormes. On pourrait presque les cueillir. Tiens !

Tel le mime Marceau, il fit semblant de décrocher une étoile et de la déposer dans ses cheveux. Elle rit doucement.

— Mon amour, tu es merveilleux.

— Même quand le petit monstre aux yeux verts est sur le point de m'attraper ?

— Quand le moment sera venu, souviens-toi seulement que je te désire davantage.

— Tu ne peux pas me désirer plus que je te désire, répondit-il d'une voix de gorge.

— Tu paries ?

Il l'attira contre lui sans qu'elle offrît la moindre résistance. Avec une délicatesse infinie, les lèvres chaudes de Steve effleurèrent le front, le nez fin, la bouche pulpeuse qui s'entrouvrit sous cet assaut de tendresse.

Sans mot dire, ils rebroussèrent chemin jusqu'à leur tente. Le feu n'était plus que charbons ardents. Dans la pénombre, Gayle aperçut l'éclat sombre des yeux de Steve.

Impatient, il la reprit dans ses bras et l'embrassa avec fougue. Ses lèvres glissèrent vers la peau veloutée de son cou.

— Oh ! Steve, gémit-elle.

Leurs baisers devenaient de plus en plus ardents.

— Tu me rends folle !

— C'est bien mon intention, murmura-t-il sans s'arrêter.

Le corps de Gayle se cambra de plaisir. Plus près, elle voulait être encore plus près de lui ! Elle enfouit ses doigts dans la nuque blonde, parcourut le dos aux muscles saillants sous l'étoffe. Soudain, au moment où leurs lèvres se mêlaient plus étroitement encore, il la souleva de terre sans le moindre effort. Eperdue, Gayle se laissa emporter vers leur tente. Avec douceur, il la déposa sur le sol, entrouvrit la toile et aida la jeune femme à s'étendre sur les sacs de couchage moelleux.

Alanguie, elle s'étira comme un chat.

— Ton autorité est sans bornes, Steve Weston.

— Je sais très bien ce qui se produit immanquablement quand nous nous retrouvons dans les bras l'un de l'autre.

Sa voix avait des inflexions sourdes qu'elle n'entendait jamais sans frissonner de plaisir.

— N'en est-il pas ainsi depuis le début ?

— Si.

Il s'étendit contre elle et demeura quelques instants appuyé sur son coude, à la contempler.

— Elle est toujours là.

— Qui ?

— L'étoile. Je la vois scintiller.

— Oh ! Steve !

Du bout des doigts, il effleura la peau satinée de ses joues. Ce fut Gayle qui l'attira contre elle et pressa sa bouche contre la sienne. Un amour fou bouillonnait en elle.

Steve abaissa la fermeture Eclair de son jean. Une vague de désir submergea Gayle. Très vite, elle fut nue. Avec tendresse, il la recouvrit de son propre sac de couchage afin qu'elle ne prît pas froid pendant qu'il retirait ses propres vêtements. Enfin, il revint près d'elle et se mit à l'embrasser avec une ardeur qui l'émerveilla. Comme il l'aimait ! Avec autorité, il lui saisit les mains et les immobilisa au-dessus des boucles noires. Haletante, elle se laissa faire. De nouveau, la bouche de Steve, insistante, passionnée, explorait sa peau veloutée. Quand, dans un irrépressible élan, il unit leurs deux corps, elle ne put retenir un cri.

Jamais, auparavant, elle ne s'était sentie aussi dominée. Etrangement, elle en retirait un sentiment d'excitation et de satisfaction totales, une volupté sublime inconnue d'elle jusqu'ici. Oui, il n'y avait que Steve pour lui donner autant de plaisir, à chaque instant. Un gémissement s'échappa de sa gorge. Irrésistiblement, il l'emportait. L'urgence de leur amour avait aboli tout le reste. Enfin, il consentit à lui lâcher les mains. Libérée, Gayle serra contre elle, de toutes ses forces, l'homme qu'elle adorait. Le temps n'existait plus. Emportée par une houle de sensations extraordinaires, elle ne put s'empêcher de murmurer son nom. Le plaisir les foudroya ensemble, scellant une fois encore leurs deux vies pour l'éternité. Peu à peu, ils revinrent au monde, apaisés et heureux. En quelques minutes, ils glissèrent insensiblement dans un sommeil profond.

Le lendemain matin, ils avançaient silencieusement sur les eaux sombres du marais. A l'arrière du canoë, Steve pagayait sans à-coups, avec l'habileté d'un Indien des Grands Lacs. Gayle se retourna pour lui adresser un sourire radieux. Autour d'eux, des bruissements d'ailes dans les roseaux, toutes les merveilles de la nature.

Ils s'étonnaient devant les milliers d'oies sauvages qui, au loin, s'abattaient et s'envolaient tour à tour. C'était un spectacle magnifique.

— Regarde, Steve !

Le bruit s'intensifia au fur et à mesure qu'ils s'approchaient des oiseaux noir et blanc qui évoluaient à quelques centaines de mètres devant eux. Des milliers d'oies criaillaient et faisaient claquer leurs ailes dans l'air frais au-dessus de l'immense marais.

Fascinés, ils s'attardèrent là pendant des heures, en paix avec eux-mêmes et en harmonie totale avec la nature. Gayle parvint à identifier une diversité considérable de plantes. Elle prit des notes, préleva des spécimens, enthousiasmée à la pensée de faire partager ses découvertes à King.

Après un bon déjeuner, ils partirent se promener à pied dans la forêt, immense réserve qui prolongeait le parc naturel que formait le marécage. Le temps passa très vite.

Beaucoup plus tard, étroitement enlacés, ils se tenaient debout près de leur tente, plongés dans la contemplation du crépuscule. Des nuages roses fuyaient très haut dans le ciel, emportés à vive allure vers l'ouest.

— Je regrette de ne pas toujours être aussi sûre

de moi que je voudrais, tu sais, Steve. Justement, l'assurance est ce que j'ai admiré d'emblée chez toi quand je t'ai rencontré.

— Tu as dû te battre seule très tôt dans la vie, lui répondit-il avec tendresse.

Une brise fraîche ébouriffait les cheveux blonds.

— Je ne me sens pas toujours sûr de toi, Gayle.

— Mais c'est fou !

Il resserra son étreinte.

— Tu es ce qui m'importe le plus au monde, ma chérie. Tu le sais ?

— Plus que ton doctorat ?

— Mon diplôme signifie beaucoup pour moi. Je l'obtiendrai. Mais il s'agit de tout autre chose. C'est toi le centre de ma vie. Sans toi, je me sens vide... inutile.

Profondément émue, elle se tint devant lui sur la pointe des pieds, passa les bras autour de son cou et approcha son visage tout près du sien.

— Tu ne crois pas que j'éprouve les mêmes sentiments ?

— Parfois, je ne sais plus. Je t'aime, petite fleur, et je n'ai pas les moyens de te perdre.

— Tu ne vas pas me perdre, Steve. Si tu savais à quel point je t'aime, tu n'aurais plus aucun souci.

— Difficile d'imaginer que je ne puisse plus m'inquiéter à ton sujet, répliqua-t-il, mélancolique. Parfois, j'ai l'impression de ne pouvoir te partager avec rien ni personne.

Pendant quelques secondes, ils se regardèrent sans mot dire. Ce fut Gayle qui rompit le silence.

— Nous trouverons une solution, mon chéri. Il le faut.

Alors, les lèvres de Steve cherchèrent passionnément les siennes. Il la souleva du sol. Une violente rafale de vent les enveloppa, à l'image de cet amour si fort qui vibrait dans leurs cœurs.

7

Les pieds posés sur un dictionnaire, Steve se balançait sur sa chaise en regardant la pluie tomber. Il se trouvait au bureau qui lui était réservé dans la section d'économie de l'université. Son apparente décontraction ne l'empêchait pas de travailler avec la vivacité d'esprit qui le caractérisait à la rédaction d'un devoir délicat pour la semaine suivante.

Il venait de griffonner quelques mots quand il entendit un bruit de pas précipités dans le couloir. On frappa à la porte.

— Entrez !

Secouant vigoureusement ses boucles noires mouillées par la pluie, Gayle entra en coup de vent. Sa peau fraîche et satinée était toute rose d'excitation. Les grands yeux verts brillaient d'un éclat particulier.

En un clin d'œil, Steve sauta sur ses pieds.

— Petite fleur ! Quelle bonne surprise !

— Steve ! Il fallait absolument que je te voie. J'ai une grande nouvelle à t'apprendre !

— Par exemple ! Donne-moi ton imperméable. Tu es trempée.

Elle posa ses livres sur le bureau inoccupé de son collègue. Galant, Steve l'aida à retirer son trench-coat. Puis il la saisit aux épaules. Elle était délicieuse avec ses cheveux ébouriffés et ses pommettes roses. Il la serra contre lui.

— Puisque nous disposons aujourd'hui de ce bureau pour nous seuls, autant en profiter.

Avec un plaisir toujours renouvelé, il respira son parfum d'eau de Cologne et goûta les perles de pluie sur son visage. Elle répondit à son baiser mais il sentit que son esprit était ailleurs.

— Alors ? Quelle est la grande nouvelle ?

— Il y a un instant, King m'a demandé de préparer un discours de quinze minutes que je prononcerai devant le congrès de la Société américaine de botanique à l'université de Duke, début décembre.

— Formidable ! Voilà une belle récompense pour ton travail.

Il nota son exaltation.

— Je ne puis y croire ! Apparemment, c'est un grand honneur pour un étudiant de deuxième cycle, en première année seulement.

— C'est juste. Vas-tu intervenir devant toute l'assemblée ?

— Non, seulement les membres du congrès qui travaillent au même sujet. King veut que je parle de mes recherches sur les protéines des fleurs composées.

— Très bien, ma chérie. C'est fantastique.

Il croisa les doigts et s'efforça de conserver un ton neutre.

— Qui d'autre est invité ?

— Personne, seulement King et moi. Nous prendrons l'avion pour la Caroline du Sud le 2 décembre. Nous serons partis pendant quatre jours.

— Quatre jours !

Atterré, Steve serra les dents. Gayle et lui ne s'étaient jamais quittés depuis leur mariage.

— King dit qu'il faudra un jour pour l'aller et un pour le retour. Apparemment, il n'y a pas de vol direct.

— Comment vais-je faire sans toi ?

Son désarroi était sincère.

— Tu n'auras pas le temps de te rendre compte de mon absence que je serai déjà rentrée. N'oublie pas qu'en décembre tu prépareras tes examens.

— Et tes cours ?

— Il faudra que je commence à réviser beaucoup plus tôt, c'est tout. Et que je rédige mon discours. Je tiens à ce qu'il soit bon.

— Bien sûr.

L'air lugubre, il imaginait déjà la quantité de travail que Gayle abattrait dans les semaines à venir. Très pratique, vraiment, ce petit voyage que le Dr Kingsley Durant avait organisé pour lui-même et sa femme à lui, Steve Weston ! Sans même s'en rendre compte, il serra violemment les poings.

— Steve ?

Anxieuse, Gayle fixait sur lui un regard troublé.

— Tu n'es pas content pour moi ?

Il prit une profonde inspiration et commença à aller et venir dans la petite pièce. Il fallait qu'il se calme.

— Je suis ravi que tu aies été choisie parmi tant d'autres. C'est un honneur, commença-t-il avec précaution. Parler en public sera pour toi une expérience précieuse.

Il marqua une pause. Hélas, la colère l'emporta.

— Mais tu ne voudrais tout de même pas que je

sois heureux d'apprendre que tu vas passer quatre jours seule en compagnie de King Durant!

Devant le regard incrédule et horrifié de Gayle, il se rendit compte qu'il était allé un peu trop loin.

— Steve! Comment peux-tu avoir des idées pareilles? King est marié et amoureux de Libby!

— Du moins en donne-t-il l'impression.

De toute évidence, il était sceptique.

— Comment pourrais-je savoir si c'est un homme honnête et scrupuleux? Comment être sûr qu'il restera de marbre devant la plus ravissante étudiante de son cours?

— Tu ne l'as rencontré que deux fois, je l'admets. Mais, moi, tu me connais!

La jeune femme semblait profondément blessée.

— Tu ne me fais donc pas confiance, Steve?

Il se rassit brusquement et leva les yeux vers elle. Quel idiot! Il gâchait sa joie, une joie qui l'avait poussée à traverser le campus sous une pluie battante pour lui annoncer la nouvelle. Il ne put supporter plus longtemps le regard lourd de reproches. Jamais encore elle ne l'avait considéré ainsi.

— Bien sûr que j'ai confiance en toi, ma chérie. C'est seulement que... Eh bien! Je suis affreusement possessif et la situation qui sera la vôtre... me paraît comporter d'évidentes facilités pour King.

— Espères-tu que je refuserai d'aller à Duke?

Sa voix était d'un calme inquiétant.

— Non.

Il ne pouvait exiger un tel sacrifice. Il n'aurait même pas dû en avoir envie. Si seulement elle passait moins de temps au laboratoire... Si seulement elle n'éprouvait pas cette admiration sans bornes pour son professeur!

Conscients que quelque chose avait changé entre

eux, ils échangèrent un regard empreint de malaise. C'était leur premier désaccord. Steve eut peur tout à coup. Etait-il en train de perdre Gayle ? Peut-être que sa méfiance n'arrangeait rien. Pourtant, il ne pouvait s'empêcher d'éprouver une sourde angoisse.

Pendant les semaines qui suivirent, ils n'évoquèrent pas le sujet. Le fait était admis. Gayle partirait avec King pour la Caroline du Sud. Elle travaillait avec encore plus d'acharnement que Steve ne l'avait redouté et ne dormait parfois que quatre ou cinq heures par nuit. Pourtant, excitée par son voyage, elle avait toujours la même énergie. Il se disait que seul un miracle la faisait tenir debout.

Quand il essayait de réfléchir avec calme, il devait admettre que, si Gayle nourrissait des ambitions universitaires, elle n'avait qu'un choix possible : saisir l'occasion offerte par King et se montrer à la hauteur. Il eût été déraisonnable et même cruel de chercher à l'en dissuader. N'empêche que sa contrariété ne diminuait pas.

Il lui semblait que Gayle invoquait sans cesse le nom de son professeur. « King a dit que... » ou « King pense que... » Mais, d'une part, Steve détestait se plaindre ; d'autre part, il savait que s'il commençait à la reprendre, elle cesserait tout bonnement de lui parler de ses activités. C'était bien la dernière chose qu'il souhaitait : être exclu d'une partie de la vie de Gayle. Il était déjà suffisamment difficile, songeait-il, de partager certaines activités avec elle. Il éprouvait un pincement au cœur chaque fois qu'il repensait au jour où elle avait refusé son aide pour accepter ensuite celle de Donna.

Une nuit, il s'éveilla vers trois heures. Gayle était encore en train de lire sur le canapé.

— Tu n'es pas couchée ?

Chaudement enveloppée dans sa robe de chambre, elle leva les yeux vers lui.

— Non, j'ai dormi deux heures. J'ai fait un mauvais rêve à propos de Thanksgiving. Tes parents étaient charmants mais mon dîner se révélait catastrophique : un cauchemar.

— Pauvre petite fleur !

Tout ensommeillé, il vint s'asseoir près d'elle.

— Comme je n'arrivais pas à me rendormir, j'ai pris un livre.

— Lequel ? demanda-t-il machinalement.

Elle lui fit voir la couverture.

— Un livre de cuisine ! Je croyais que tu révisais tes cours.

— J'essaie de mettre au point ce fameux dîner.

— Tu n'es vraiment pas raisonnable. Tu as besoin de tes heures de sommeil au lieu de te lever au milieu de la nuit pour étudier des recettes !

— Bon, bon. Retourne au lit. Je te rejoins dans cinq minutes.

Steve remarqua alors trois autres livres empilés sur le sol.

— Ce n'était qu'un mauvais rêve, petite fleur. Tu ne vas pas en faire une montagne ! Tu es une très bonne cuisinière.

— Je tiens à réussir un dîner exceptionnel pour tes parents.

Elle appuya sa tête sur son épaule. Attendri, il enfouit son nez dans les boucles noires et respira son parfum de rose. Comme il l'aimait, si fragile, si vulnérable !

— Je pense que la meilleure solution serait

d'aller au restaurant, surtout maintenant que tu as ta conférence à préparer.

— Je me suis engagée, protesta-t-elle faiblement.

Ni l'un ni l'autre ne purent se souvenir de la suite. Quand ils s'éveillèrent le lendemain matin, ils découvrirent qu'ils avaient passé la nuit enlacés sur le divan.

Ce soir-là, une pluie froide tombait sans relâche d'un ciel bas. Il était déjà six heures quand Gayle rentra du laboratoire. Une bonne odeur de porc aux haricots, qu'elle avait préparé le matin, emplissait l'appartement. Steve avait mis *La Petite Musique de nuit* et sifflotait gaiement tout en complétant un énorme tableau rempli de graphiques.

— Bonsoir, ma chérie !

Comme à l'accoutumée, il vint à sa rencontre et Gayle tendit ses lèvres pour recevoir son baiser.

— J'ai une faim de loup !

— Veux-tu un verre de vin en attendant que le dîner soit prêt ?

— Oui, mais un petit. Un important travail m'attend ce soir. Je prendrai un café après le repas.

Les yeux dans les yeux, ils trinquèrent. Steve lui expliqua le tableau qu'il préparait pour ses étudiants.

— Tu es mon cobaye. Dis-moi si l'exposé est assez clair pour toi.

— Je n'y connais rien en économie.

— Justement, c'est le cas de la plupart de mes élèves. N'oublie pas qu'il s'agit d'une classe préparatoire. Si toi tu ne comprends pas, eux non plus.

— Que signifie ce schéma en haut à droite ?

En quelques minutes, ils apportèrent d'un commun accord des modifications. Une fois encore, Gayle s'émerveilla du bonheur qu'elle éprouvait en compagnie de Steve. Que c'était bon de rentrer chez soi! Dehors, sévissaient le froid et la pluie. Leur appartement ne lui en apparaissait que plus intime et chaleureux.

Après un délicieux dîner, ils rangèrent ensemble la cuisine.

— Oh! Gayle, je crois qu'il commence à neiger!

— Déjà?

— Ici, ce n'est pas rare avant Thanksgiving. Bienvenue dans les Etats du Nord, ma chérie!

Pendant plus de deux heures, chacun demeura plongé dans ses livres. Puis Gayle fit une pause pour préparer une infusion de verveine.

— Steve! Regarde ces gros flocons. C'est si beau!

— Oui. La neige commence à s'accumuler.

Vers dix heures, il sortit pour juger de la situation. Il revint un moment plus tard, le sourire aux lèvres, rouge de froid. Des flocons achevaient de fondre dans la masse de ses cheveux.

— Elle tient! Il y en a déjà une bonne couche!

Gayle mourait d'envie d'aller dehors mais il lui restait un chapitre entier à étudier.

A onze heures, Ingrid tout emmitouflée frappa à leur porte.

— Venez! Nous allons faire un concours de bonshommes de neige. Les perdants payent une tournée de bière au vainqueur. Notre voisin sera l'arbitre. Dépêchez-vous!

— Désolée, commença Gayle, mais...

Sans écouter, Ingrid était déjà partie. Steve remit son anorak.

— Allons, ma chérie. Prendre un peu l'air te fera du bien.

— Vas-y. Moi, il faut que j'aie assimilé mon cours pour demain.

Elle se replongea calmement dans son livre.

— Pas question. Tu viens.

Avec détermination, il la mit debout et commença à lui passer sa veste.

— Tu ne resteras pas enfermée toute seule le soir de la première neige.

— Steve! protesta-t-elle, indignée. Que fais-tu?

— J'essaie de te changer les idées.

— Tu me bouscules!

Il ne tint pas compte de ses objections et enfonça le petit bonnet rouge sur ses oreilles. Puis il lui prit le visage dans les mains et déposa un baiser sur ses lèvres.

— Je te bouscule, petite fleur? Mais je suis ton mari, ton amant : je veux te prendre en main.

Avec douceur et fermeté, il lui caressa le cou.

— Tu as suffisamment travaillé pour ce soir. De toute façon, avec cette neige fraîche, faire un bonhomme de neige sera un jeu d'enfant, c'est le cas de le dire.

— Mais, Steve...

— Tu ne veux pas que je perde le concours, n'est-ce pas?

— Non...

— Alors, il faut que tu viennes m'aider.

Résolument, il lui tendit ses moufles.

— Viens, dépêchons-nous.

Vaincue, elle le suivit. Un épais tapis immaculé recouvrait le sol. De gros flocons voltigeaient dans l'air froid. Gayle tendit la main pour essayer de les attraper. C'était bon de les sentir fondre sur le visage. Elle respira profondément.

Toute la rue était transformée par cette envahissante blancheur. Des cris joyeux et des rires leur parvenaient, étouffés.

Même les deux étudiants en droit avaient rejoint les autres. Phil, Vera et Ingrid avaient déjà formé une énorme boule de neige qui trônait sur le trottoir. Une idée germa soudain dans l'esprit de Gayle.

— Et si nous faisions une bonne femme de neige pour changer ?

— D'accord ! Pourvu qu'elle soit très sexy.

— Jusqu'à quel point ?

Une lueur coquine surgit dans les yeux bruns. Il voulut attraper Gayle mais elle s'esquiva avec une étonnante vivacité.

— Nous l'habillerons d'un bikini, suggéra-t-elle.

— Ce ne sera pas trop dur à réaliser ?

— Non, elle sera assise, les jambes pliées. Avec des écharpes, nous lui composerons un joli maillot de bain.

— Formidable ! Je parie que nous allons gagner.

Avec un enthousiasme grandissant, ils se mirent à la tâche. En quelques minutes, ils obtinrent une forme cylindrique pour figurer le corps.

— Je m'occupe des jambes. Toi, tu sculpteras le buste, proposa Gayle.

La jeune femme avait retrouvé son insouciance de petite fille et s'amusait beaucoup. Méthodiquement, elle modela les membres fuselés. Puis elle remonta précipitamment chez eux pour revenir les bras chargés d'accessoires : un chapeau de paille mexicain, des lunettes de soleil et une paire de mules.

Pendant ce temps, Steve avait terminé la tête sur laquelle il planta crânement la capeline.

Rapidement, ils complétèrent leur chef-d'œuvre en riant comme des fous. Avec une spatule en bois, Gayle dessina la taille fine et les hanches rondes. Puis elle ajusta les écharpes en guise de bikini. Quand, enfin, la baigneuse eut chaussé ses lunettes noires, Steve émit un sifflement d'admiration.

— L'illusion est parfaite, Gayle. Tu aurais dû t'orienter vers la sculpture. J'ignorais que tu avais autant d'imagination.

— C'est notre œuvre à tous les deux. Au vrai, je ne m'attendais pas à ce qu'elle paraisse vivante.

Heureux, ils échangèrent un baiser.

— Eh bien! J'ai peur que vous ne soyez tous largement dépassés par les nouveaux locataires, commenta l'arbitre dès qu'il aperçut le résultat de leurs efforts.

Sur un ton solennel, il annonça :

— Je déclare cette beauté estivale la gagnante du premier concours de l'hiver!

Les applaudissements crépitèrent. Tous se retrouvèrent alors chez les étudiants en droit où le juge remit cérémonieusement un paquet de bières au jeune couple rayonnant.

Gayle avait momentanément oublié ses préoccupations d'élève studieuse. Elle passait une excellente soirée, au milieu des éclats de rire et des plaisanteries de ses camarades. Ils étaient toujours aussi pleins d'entrain quand ils se mirent au lit après minuit. Ils s'aimèrent ce soir-là avec allégresse et Gayle s'endormit aussitôt, épuisée et heureuse.

Pourtant, le dernier dimanche avant la fête de Thanksgiving, quand Steve lui proposa d'aller faire de la luge, elle se montra incorruptible. De fait, entre ses projets de dîner, la préparation de sa conférence et ses révisions, elle commençait à se sentir très fatiguée. Courir plusieurs lièvres à la fois pendant de longues semaines affectait sa résistance nerveuse et son humeur. Steve eut beau insister, elle refusa tout net.

Si seulement elle avait su plus tôt que King

l'avait choisie pour l'accompagner, jamais elle n'aurait lancé d'invitation. Maintenant, il n'était pas question de se rétracter. Elle assumerait tout. Paula et Stephen verraient de quoi elle était aussi capable dans le domaine culinaire.

— Dresse une liste et j'irai moi-même faire les courses, proposa Steve. Ensuite, nous rejoindrons les autres.

— Non, je tiens à aller au supermarché moi-même.

Pour lui aussi, ce serait une surprise.

— Ne t'inquiète pas. Va retrouver Phil, Ingrid et Vera.

— Mais je veux que tu m'accompagnes. Sinon, nous formerons deux couples et cette idée me déplaît.

— On ne sait même pas avec laquelle sort Phil. Alors...

— Cela te changera les idées. La colline de Black Hawk est idéale pour la luge. Souviens-toi comme nous nous sommes amusés lors du concours de bonshommes de neige.

— C'est un excellent souvenir mais aujourd'hui je suis vraiment surchargée de travail. N'insiste pas. J'irai une autre fois.

— Tonnerre ! explosa-t-il. Il n'y a vraiment aucune raison pour que tu te donnes tout ce mal à un moment pareil. Pourquoi ne pas accepter l'invitation au restaurant de mes parents ? Ce serait si simple.

— Moi, je tiens à les recevoir ici. Tu n'attaches décidément aucune importance à mes désirs, poursuivit-elle avec colère. T'arrive-t-il de te demander quelles sont mes préférences ?

Il pâlit.

— Non, jamais ! cria-t-elle. C'est toujours toi qui

décides. Tu sais toujours mieux que moi ce que je veux ou ce qui me convient !

— Peut-être vis-tu les choses ainsi. Pourtant, je n'ai jamais eu l'intention de te dominer. Je veux simplement prendre soin de toi. Une chose est sûre : tout le monde a besoin de marquer une pause de temps en temps, de prendre l'air et de faire un peu d'exercice.

— C'est bon, entendu. La prochaine fois je viendrai.

Elle respira profondément pour essayer de retrouver son calme.

— Aujourd'hui, laisse-moi tranquille, d'accord ?

— Si c'est ce que tu veux...

Le visage fermé, Steve remonta rageusement la fermeture Eclair de son anorak. Blessé et furieux, il sortit en claquant la porte. Interdite, Gayle demeura un moment au milieu du salon, en proie à une confusion extrême.

8

D'un instant à l'autre, Steve serait de retour de l'aéroport avec ses parents. En hâte, Gayle enfila la petite robe verte en tricot qui lui allait si bien et tenta d'ordonner un peu ses boucles noires. Décidément, ses cheveux avaient un mauvais pli aujourd'hui.

Depuis l'aube, elle s'affairait dans la cuisine pour réaliser le menu compliqué qu'elle avait composé. Elle vérifia son apparence dans le miroir. Un peu de purée de patates douces lui avait éclaboussé la joue. En tout cas, elle n'aurait pas besoin de se farder. L'épuisement et l'excitation auxquels s'ajoutait la chaleur du four avaient empourpré son visage. Elle se rafraîchit en vaporisant sur son cou cette eau de Cologne que Steve aimait tant.

Puis elle se précipita de nouveau dans la cuisine pour sortir le saladier en verre contenant la terrine de légumes aux airelles. Hélas, elle n'avait pas « pris » comme le promettait la recette. Que se passait-il ? Gayle avait pourtant suivi scrupuleusement les consignes et préparé son plat la veille. En

106

désespoir de cause, elle plaça le saladier dans le congélateur.

Comment se portait la dinde ? Elle alluma la lumière du four pour vérifier la cuisson. Normalement, l'alarme aurait déjà dû sonner, ce qui lui aurait permis de réchauffer la marmite de patates douces. Les pommes de terre, que Steve avait épluchées, cuisaient sans problème ainsi que les brocolis. Elle revint au salon et nota avec satisfaction que sa table était vraiment une réussite. Steve l'avait aidée hier soir. Ils avaient sorti leur service en porcelaine et les verres à pied en cristal, cadeaux d'une tante des Weston. Au centre, s'épanouissait un bouquet de roses thé.

De retour à la salle de bains, elle avait à peine étalé un peu de fard vert sur ses paupières qu'elle entendit ses invités dans l'escalier. Vite, une touche de rouge à lèvres et elle se précipita pour les accueillir.

— Gayle, c'est adorable chez vous ! s'exclama Paula en la prenant affectueusement dans ses bras.

— Quelle bonne odeur ! Je sens que nous allons nous régaler ! claironna Stephen Weston.

Toujours jovial, il donna à sa belle-fille un gros baiser sonore.

— Je suis sûre que vous vous êtes donné beaucoup de mal, dit Paula gentiment.

— J'ai essayé de la persuader d'aller dîner dehors mais elle n'a rien voulu entendre, déclara Steve.

Tu veux dire que je n'ai qu'à m'en prendre à moi-même, pensa Gayle, un peu vexée. Après tout, c'était pour ses parents qu'elle avait pris toute cette peine.

Détendus et bronzés, Paula et Stephen avaient une mine superbe.

— Comment se sont passées vos vacances à Hawaii ? demanda la jeune femme.

— Magnifiquement, répondit Paula. J'espère qu'un jour Steve vous emmènera là-bas. Nous vous avons rapporté un petit souvenir. Oh ! C'est peu de chose.

Délicatement, elle sortit de son sac un paquet qu'elle tendit à Gayle. A l'intérieur, celle-ci découvrit une ravissante parure de corail composée d'un collier et de boucles d'oreilles.

— C'est superbe ! Merci beaucoup !

— Mets-les, ma chérie, suggéra Steve.

La pierre rosée soulignait joliment son teint de pêche. Avec la robe qui s'harmonisait à la couleur de ses yeux, l'ensemble était parfait. Steve reçut une paire de boutons de manchettes, en corail également.

— Puis-je vous offrir l'apéritif ? Asseyez-vous. Steve va vous préparer un verre. Si vous voulez bien m'excuser, j'ai encore une ou deux choses à faire dans la cuisine.

Hélas, au moment où Gayle ouvrit la porte, elle huma une odeur de brûlé. En hâte, elle retira la poêle du feu. Le fond avait attaché : les pommes de terre étaient toutes noires !

— Mes parents prendront volontiers un verre de vin blanc, annonça Steve en entrant dans la pièce.

— Regarde dans le réfrigérateur. J'ai débouché la bouteille il y a une heure pour laisser le vin respirer.

— Que se passe-t-il, ma chérie ?

— J'ai oublié les pommes de terre sur le gaz, elles ont brûlé, chuchota-t-elle.

Dépitée, elle tendit la poêle pour lui faire constater le désastre.

Il esquissa une grimace, haussa les épaules.

— Cela peut arriver à tout le monde, petite fleur. Essaie de sauver ce que tu peux.

Nerveuse, elle sortit une autre poêle ainsi qu'une bombe désodorisante. Il ne fallait pas que ses beaux-parents se doutent de quelque chose !

— Tiens, vaporise aussi le salon. Surtout ne leur dis rien !

— Ne t'inquiète pas. Ce n'est pas grave. Je suis sûr que maman a brûlé de nombreux plats avant d'engager Lily.

— Je parie que cela ne s'est jamais produit quand elle recevait tes grands-parents le jour de Thanksgiving.

Elle parvint à récupérer le quart des légumes, ajouta un morceau de beurre et les recouvrit en attendant. Soucieuse, elle vérifia que les brocolis, eux, ne subissaient pas le même sort. L'énorme dinde semblait cuite à point et, munie de gants de protection, elle la sortit du four et la remplaça par les patates douces. Vite, elle devait aussi réchauffer les petits pains qui accompagnaient le repas.

Que devenait la terrine de légumes aux airelles ? Bien. Elle s'était enfin solidifiée. Attention, il ne fallait pas que le plat se congèle. Gayle le déposa en bas du réfrigérateur.

La dinde répandait une délicieuse odeur. Elle la piqua du bout de sa fourchette pour en vérifier une nouvelle fois la cuisson. Parfait. Elle goûta la farce aux huîtres, délicate recette qu'elle avait suivie à la lettre. Savoureuse ! Enfin, elle avait réussi à mener à bien au moins une chose. Ce serait aussi une surprise pour Steve car elle ne lui avait rien dit. La voix de Paula lui parvint du salon.

— Puis-je vous aider, Gayle ?

— Non, merci. Tout va bien. J'en ai pour une minute.

109

Elle fit couler de l'eau dans la poêle et se mit à récurer énergiquement le fond. Rien à faire. Il ne fallait surtout pas que sa belle-mère s'aperçoive de la catastrophe. Pour finir, elle posa le couvercle par-dessus.

— Restez assise et détendez-vous, cria-t-elle à Paula d'un ton qu'elle s'efforçait de rendre léger.

Dans la demi-heure qui suivit, Gayle s'affaira avec frénésie dans la petite cuisine. Maintenir la dinde au chaud grâce à une feuille de papier d'aluminium, préparer une sauce pour l'accompagner, réchauffer le pain... Bref, mener le tout de concert se révélait beaucoup plus ardu qu'elle ne l'avait imaginé. Quand enfin elle passa au salon après avoir épongé son front moite, elle perçut immédiatement l'odeur de brûlé et redonna un petit coup de vaporisateur.

Finalement, elle ne put refuser l'aide de sa belle-mère plus longtemps et, ensemble, elles s'acquittèrent des derniers détails : remplir la carafe d'eau, placer le beurre et les condiments sur la table, secouer la salade... Gayle tint à découper elle-même la terrine de légumes qui lui paraissait quand même un peu molle.

— Veux-tu que j'apporte la dinde ? demanda Steve en passant la tête dans l'entrebâillement de la porte.

— Oui, s'il te plaît.

Il remplit les verres. Enfin, tous quatre passèrent à table. Gayle allait-elle pouvoir recueillir les fruits de son labeur ? Comment réagiraient ses invités ?

— Quel plaisir de se retrouver ici ensemble ! dit Paula, sincèrement ravie.

— Oui et toutes ces bonnes choses me mettent l'eau à la bouche, s'exclama Stephen. Enfin un bon repas traditionnel après tous ces plats exotiques.

Je goûterais bien moi-même un jour à ces plats exotiques, songea Gayle.

— Nous sommes contents que vous ayez fait bon voyage, répondit-elle simplement. Vous accueillir chez nous me paraît plus approprié en ce jour de fête.

Steve lui adressa un chaud sourire. En dépit de ses efforts pour la convaincre de dîner au restaurant, Gayle savait qu'il était au fond ravi de recevoir ses parents chez lui.

— Est-ce une farce aux huîtres, Gayle ?

La jeune femme adressa à Paula un sourire tout fier.

— Oui.

La farce était absolument délicieuse. Pour un coup d'essai, c'était un coup de maître !

— Divin ! s'exclama sa belle-mère.

Alors, pourquoi ce curieux regard échangé entre elle et son époux ?

— Quelque chose ne va pas, maman ? demanda Steve.

— Eh bien... Je regrette vraiment après le mal que s'est donné Gayle mais... Stephen a consulté un médecin il y a quelques mois : les huîtres lui sont formellement interdites.

— Moi qui les adore ! se plaignit-il. J'en mangeais souvent sans penser qu'elles étaient la cause de mes horribles migraines.

Il se tourna vers sa belle-fille et lui tapota la main.

— Croyez-moi, Gayle. Je résiste à grand-peine. C'est un cruel sacrifice.

Consternée, Gayle ne pouvait prononcer une parole.

— Steve, pourrais-tu découper un morceau sur

le côté pour ton père ? proposa Paula. Ce sera plus prudent.

Tout ce travail pour rien! Non, ce n'était pas possible. Elle vivait un mauvais rêve! Et sa belle-mère insistait comme si la farce était empoisonnée!

A partir de ce moment-là, Gayle estima que son repas était un échec total. Ni Stephen ni Paula, pourtant, ne ménagèrent leurs compliments. Rien n'y fit. Les brocolis étaient pâles et trop cuits, décida-t-elle. La terrine de légumes s'était ramollie. La purée de pommes de terre était évidemment médiocre, les petits pains durs et secs au lieu de croustiller sous la dent. Quant à la marmite de patates douces, elle se révélait moins savoureuse qu'on aurait pu s'y attendre.

— Cette dinde est succulente, Gayle. Vous avez un bon tour de main.

Rayonnant, Stephen s'était largement servi.

— Avec les fours actuels, c'est difficile de se tromper, répliqua la jeune femme qui mangeait du bout des lèvres.

— Quel dommage que tu ne puisses goûter à cette farce, papa. C'est un vrai régal!

— Ne t'inquiète pas pour moi, Steve. J'ai bien assez.

— Je regrette de ne pas avoir su plus tôt que vous étiez allergique aux huîtres, murmura Gayle désemparée.

Pourquoi Steve ne l'avait-il pas prévenue? Non, elle était injuste. Il l'ignorait. D'ailleurs, elle s'était gardée de lui dévoiler tous les secrets de son dîner puisqu'elle voulait que la surprise fût complète! En un sens, elle l'était, se dit-elle avec amertume.

— Il faudra nous donner la liste de tout ce qui vous est interdit à l'occasion de votre prochaine visite. Je ne sais pas pourquoi ma terrine n'est pas plus ferme, ajouta-t-elle en la goûtant.

— Cela dépend du taux d'acidité des airelles. C'est toujours hasardeux, fit remarquer Paula, compatissante. En tout cas, elle est délicieuse.

Conscient de sa déception, chacun s'efforçait de la rassurer. En vain. Le dernier coup lui fut porté au dessert. Quand elle sortit sa mousse de fraises au coulis de framboises, elle fut horrifiée de constater que les divers ingrédients de son gâteau s'étaient malencontreusement mélangés. Le dessus ne ressemblait à rien.

— Je ne comprends pas, fit-elle d'une toute petite voix.

— Je puis affirmer qu'hier soir c'était un véritable chef-d'œuvre, déclara Steve.

— Donnez-moi une petite part, juste pour goûter, demanda Paula.

Son dessert était-il aussi peu appétissant ? se demanda Gayle, piteusement.

— J'ai pris presque quatre kilos à Hawaii, expliqua sa belle-mère. Il va falloir que je me mette sérieusement au régime.

Intérieurement, Gayle admit que son gâteau était très bon. Trop tard, hélas. Un sentiment d'échec cuisant l'avait envahie. Elle aurait tant voulu épater les Weston ! Quand elle comparait ce repas au dîner d'anniversaire de Stephen, elle aurait voulu rentrer sous terre !

Paula proposa de faire la vaisselle. Gayle, fatiguée et déçue, protesta. Dans la grande maison de Neenah, elle ne devait jamais toucher à une assiette, pensa la jeune femme.

C'était bon de se laisser aller contre l'épaule de Steve assis sur le canapé du salon. Epuisée, Gayle se sentait de plus en plus somnolente.

Paula donnait à son fils des nouvelles de ses amis.

— Carole va passer une année en Europe, dans une école privée en Suisse. Quelle jeune fille adorable !

Son bavardage parvint tout à coup aux oreilles de Gayle, qui sursauta et se redressa.

Carole devait être le genre d'épouse dont les Weston avaient rêvé pour Steve, une de ces princesses de l'empire du papier.

— Nous appréciions beaucoup sa famille, continuait sa belle-mère. Nous avons fait une croisière ensemble et...

Gayle les pria de l'excuser. Le front appuyé contre le miroir de la salle de bains, elle luttait pour retenir ses larmes. Jamais elle ne surpasserait les héritières de Neenah. Pourquoi Steve avait-il choisi une femme ordinaire comme elle ? Comment montrer qu'elle était digne de Steven Dudley Weston ? Autant regarder la vérité en face : elle n'était pas une compagne à sa mesure et ne le serait jamais ! Elle surprit quelques bribes de la conversation.

— Gayle n'est pas bien ? demanda Paula.

— Elle est surmenée.

— Je suis moi-même fatigué, dit Stephen. J'ai mal dormi la nuit dernière et après ce long vol...

— Rentrons à l'hôtel. Tu feras la sieste. Peux-tu nous ramener, Steve ?

Avec chaleur, ils remercièrent Gayle de son invitation et la complimentèrent une dernière fois. Dès que la porte se fut refermée sur eux, Gayle alla s'étendre sur le lit, se blottit sous une couverture et sombra immédiatement dans un sommeil sans rêve.

Quand elle s'éveilla quelques heures plus tard, elle trouva Steve allongé à ses côtés en train de lire.

— Comment va notre cordon-bleu ?

Tendrement, il passa la main dans les boucles noires.

— Je ne suis pas un cordon-bleu ! Steve ! Je ne sais comment dire... J'étais si gênée.

Il posa son livre et la prit dans ses bras.

— Pourquoi ? Ton repas était excellent. Tu as reçu mes parents avec beaucoup de gentillesse. J'étais très fier de toi.

— Ne me raconte pas d'histoires. Tu essaies de me consoler...

Incapable de se contenir plus longtemps, elle se mit à pleurer contre sa poitrine.

— Allons ! Tu crois que je n'apprécie pas tes efforts ?

— Mais j'ai brûlé les pommes de terre, je...

— Tout était délicieux : la dinde était succulente. Quant à la farce, une merveille !

— Ton père n'a même pas pu en manger. Ce devait être ma grosse... surprise.

— Tu ne pouvais pas le savoir.

— Même mon dessert a chaviré.

— Il était très bon. Tu vois tout sous le mauvais angle.

— Je voulais que mon gâteau présente bien.

— Naturellement, tu voulais que tout soit parfait.

— Pour tes parents. A Neenah, il n'y a pas eu la moindre fausse note.

— C'est le métier de Lily. Elle est au service de mes parents depuis plus de quinze ans. Ecoute, je vais te prouver, moi, que ton repas était sensationnel. Attends que nos amis reviennent.

115

Deux jours plus tard, Steve convia leurs voisins à un dîner impromptu dont il assuma toute la responsabilité. La jeune femme avait pensé que tout le monde serait las des lourds et interminables festins de Thanksgiving. Pas du tout ! Le père de Vera avait emmené les siens dans un banal petit restaurant. Ingrid avait rattrapé un virus intestinal. Phil était si bouleversé par le divorce de ses parents qu'il avait perdu l'appétit. Pour Jerry qui avait retrouvé son amie, manger était le cadet de ses soucis. Quant à Doug, sa mère, obsédée par les menus à basses calories, lui avait préparé un déjeuner lugubre qu'il décrivit avec humour.

Tous avaient donc la nostalgie d'un bon repas traditionnel comme aux beaux jours de leur enfance. Enfin, était-ce grâce à Steve ? Tout parut à Gayle absolument délicieux.

— Je reprendrais bien un peu de cette farce, lança Doug. Je n'ai jamais rien mangé de meilleur.

— La dinde est succulente. Celle de ma mère n'a jamais été aussi bonne, même quand mes parents s'entendaient bien, déclara Phil.

— Tu dis que le père de Steve n'a pas aimé ?

— Non, Véra. Il n'a pas pu y goûter.

Gayle raconta l'anecdote. Le petit drame du week-end devenait une histoire des plus comiques au fur et à mesure qu'elle en donnait tous les détails.

— Je me suis levée à cinq heures et demie et j'ai travaillé comme une bête... J'ai oublié les pommes de terre sur le gaz. Tout l'appartement sentait le brûlé. J'ai dû utiliser la bombe désodorisante... Mon gâteau était un désastre...

Gayle pouffait à chaque phrase.

— ... Au moment de servir, nous avons appris que le père de Steve était allergique aux huîtres !

Tout le monde éclata de rire.

— Il y a une chose qui me réjouit particulièrement, c'est de vous avoir tous pour amis !

— Bravo !

— A la santé des Weston !

Dans l'allégresse générale, on trinqua.

— Je me sens plus ici chez moi que chez mes parents, ajouta Phil. Je crois que je vais reprendre un peu de cette dinde.

Quelques heures plus tard, quand le dernier invité fut parti, Gayle sauta au cou de Steve et lui donna un long baiser.

— Merci, mon amour. Grâce à toi, j'ai retrouvé un peu de confiance en moi et surtout le sens de l'humour.

— Tout, je ferai tout pour garder ma cuisinière préférée et la femme de ma vie heureuse et comblée.

De nouveau, leurs lèvres s'unirent. Quand il se mit à la caresser, Gayle sentit aussitôt son corps s'embraser. Elle ne lui refusa rien.

9

Steve s'éveilla en sursaut. Désorienté, il lui fallut quelques instants avant de recouvrer ses esprits. Il se passa la main sur le visage comme pour chasser les mauvais rêves. Que lui arrivait-il ?

L'obscurité régnait dans le petit appartement. Des étages inférieurs lui parvenait un bruit de voix assourdies et le rythme d'une musique de rock.

Il se souvint qu'il était rentré vers quatre heures, fatigué, qu'il avait décidé de s'offrir une petite sieste. Quelle heure était-il donc ? Gayle n'était pas encore rentrée ?

La mémoire lui revint peu à peu. Il avait rêvé d'elle. Ils étaient en bateau sur le lac Winnebago envahi par un épais brouillard. Tandis qu'il voguait dans un yacht, Gayle était assise dans une petite barque sans rame, sans moteur ni voile. Insensiblement, elle s'était mise à dériver. Alarmé, il avait tenté de la retenir. En vain. Il avait fini par la perdre de vue.

— Gayle ! Reviens !

Le son angoissé de sa propre voix l'avait éveillé.

Encore sous le coup de son cauchemar, il frissonna. Huit heures et quart! Il avait dormi plus de quatre heures!

Que faisait Gayle?

Son esprit se mit à battre la campagne. Il n'aimait pas qu'elle rentre aussi tardivement. L'université était proche, certes, mais dans l'obscurité tout pouvait lui arriver. Quand elle avait un empêchement, elle lui téléphonait pour le prévenir.

De nouveau, ses obsessions vinrent le tourmenter. Des images de Gayle seule dans le laboratoire, en proie aux avances amoureuses d'un King audacieux et sûr de lui, surgirent dans son esprit fièvreux. Seigneur! S'il ne se reprenait pas un peu, comment allait-il supporter le voyage à Duke?

Sans Gayle, l'appartement désert et silencieux perdait son charme. Il s'y sentait incroyablement solitaire. Pourquoi ne pas téléphoner? Il saurait au moins si elle était en route. Nerveusement, il composa le numéro. Elle répondit aussitôt.

— Le laboratoire du Dr King.

Dieu merci, elle paraissait aller bien.

— Petite fleur, je me suis fait du souci.

— Mon chéri.

Elle paraissait à la fois heureuse et surprise de l'entendre, comme si elle avait été totalement absorbée par son activité.

— Sais-tu qu'il est neuf heures moins vingt?

— Oh là là! J'ai perdu la notion du temps. King et moi avons discuté de ma conférence. Ensuite, il a fallu que je termine mon travail ici.

— King est encore là?

— Non. Il est parti il y a au moins deux heures.

Il ne put retenir un soupir de soulagement.

— Moi, j'ai dormi comme un loir! Mais tu m'as manqué à mon réveil.

— Pardonne-moi, mon chéri. J'aurais dû te téléphoner.

— Je viens te chercher en voiture. Il n'est pas question que tu rentres à pied à une heure pareille.

— Entendu. Je suis vraiment désolée de t'avoir inquiété, tu sais.

Songeur, Steve raccrocha. D'une certaine manière, Gayle lui apparaissait toujours comme une fleur fragile, en dépit de son intelligence et de ses dons. Il ne pouvait s'empêcher d'avoir un comportement protecteur à son égard. Vraiment, il était soucieux depuis quelques mois. Elle travaillait de plus en plus dur. Il craignait qu'elle ne s'épuisât physiquement et nerveusement si elle n'apprenait pas à se ménager. Parfois, il se demandait ce qu'elle tentait de prouver.

De plus, la jeune femme n'était pas aussi spontanée qu'auparavant. Elle avait tendance à se replier sur elle-même et lui faisait de moins en moins partager sa vie universitaire. Pourquoi ?

Au fil des jours, Steve en était venu à redouter de plus en plus le voyage à Duke en compagnie du Dr Durant, celui qu'elle admirait tant. Que faire ? Il ne savait pas encore. Une chose était sûre : Steve n'avait jamais appartenu à la catégorie des gens passifs. C'était un homme d'action.

Des réflexions semblables l'animaient encore deux jours plus tard. Gayle, sourcils froncés, se concentrait sur les livres étalés devant elle. Steve venait de passer une heure à étudier ses cours, confortablement installé sur le canapé. De temps en temps, il levait la tête pour observer la jeune femme. Des cernes marquaient ses beaux yeux verts et elle avait maigri.

— Accordons-nous encore une heure de travail. Ensuite, nous marquerons une pause, qu'en dis-tu ?

— Comment ?

Absorbée, elle était en train de prendre des notes.

— Tu as besoin de te changer les idées. Je t'emmène en ville prendre un verre.

— Tu plaisantes ! Il fait trop froid. Je n'ai pas envie de sortir.

— Prenons la voiture. Nous irons boire une bière.

— Non, merci. Cela ne me dit rien.

— Que veux-tu faire, alors ? reprit Steve avec un calme apparent.

— Continuer à travailler sur mon texte. King dit que les interventions qu'il a entendues jusqu'ici au congrès étaient vraiment d'un haut niveau. Je ne veux pas lui faire honte.

Effrayé par sa propre violence, il n'osa tout d'abord pas répondre. Il y eut un silence. Gayle s'était remise à écrire.

— Je te parle sérieusement. Tu te surmènes. Je ne te laisserai pas ainsi te ruiner la santé.

Avec détermination, elle planta son regard dans le sien.

— Ecoute, Steve, commença-t-elle avec lassitude. Je ne suis plus une petite fille. Laisse-moi tranquille. Je peux prendre soin de moi-même.

— Justement, ma chérie, tu ne parais pas très bien savoir ce qui te convient.

Irritée, elle jeta son stylo sur la table.

— Je fais pourtant mon possible !

— C'est bien ce qui me tracasse. Si tu continues à ce rythme, tu vas tomber malade.

— Je me porte à merveille, Steve Weston !

En colère, cette fois, elle se leva et se mit à arpenter la pièce.

— Quand ai-je été malade ?

— Allons, ne monte pas sur tes grands chevaux. Simplement, je te trouve amaigrie. Tu as une petite mine.

Blessée, elle détourna la tête.

— Désolée de ne pas correspondre à ton idéal de beauté. Je n'ai jamais ressemblé à Marilyn Monroe.

— Calme-toi, s'il te plaît ! Je ne suis pas tombé amoureux de Marilyn Monroe. C'est toi que j'aime. Je ne cherche qu'une chose : prendre soin de toi.

— Même quand je m'y oppose ?

— Si tu refuses d'être raisonnable, quel choix me reste-t-il ?

Les yeux verts lancèrent des éclairs.

— Tu es toujours si sûr de toi ! Tu as raison en tout ! Et moi, ta stupide petite épouse, je ne sais rien !

Sa voix était devenue aiguë. Quand il vit l'expression de fureur qui animait son visage, il blêmit. C'était donc ainsi qu'elle vivait les choses ? Quel choc ! Elle avait prononcé le mot « épouse » avec une sorte de mépris. Si tels étaient ses sentiments à propos de leur mariage, la situation était encore pire qu'il ne le pensait.

— Je ne me rendais pas compte qu'être ma femme te pesait tellement. Bien sûr, je n'arrive pas à la cheville du Dr Kingsley Durant !

— Steve !

Déconcertée, elle avait pâli et se tenait devant lui, immobile.

— J'imagine que cela doit être assez ennuyeux de rentrer à la maison pour essayer de parler de ses expériences en laboratoire à quelqu'un qui perd son temps à étudier l'économie !

— Je t'en prie !

— Réjouis-toi ! Tu devrais, il me semble, t'amuser beaucoup pendant ces quatre jours à Duke. Vous serez tous deux dans votre élément. Pas de femme ni d'enfants pour encombrer King, pas de mari pour te gêner !

Les yeux brillants de larmes, elle demeura interdite.

— Tu refuses de venir avec moi ?

— Je t'ai déjà dit que je voulais travailler. De toute façon, je ne pense pas que nous passerions un moment agréable.

Il enfila son anorak.

— Eh bien, moi, je sors !

— Steve...

La porte se referma brutalement derrière lui.

La semaine suivante, il était dix heures passées quand Gayle rentra à la maison. Epuisée par une journée de travail écrasant, elle n'avait qu'un désir : prendre de l'aspirine pour oublier sa migraine, boire quelque chose de chaud et se mettre au lit.

Profondément troublée par leur querelle, elle se sentait déprimée. En effet, Steve était plus jaloux que jamais. Depuis un certain temps, pourtant, elle avait pris soin de ne pas prononcer trop souvent le nom de King devant son mari. C'était difficile puisque sa passion pour ses études passait fatalement par lui.

Quand elle atteignit le troisième étage, elle entendit des éclats de rire et une musique de reggae, provenant de leur appartement. Stupéfaite, elle reconnut les voix de Vera et de Jerry. De toute évidence, il y avait des invités chez elle ce soir. Seigneur ! gémit-elle, ce n'est vraiment pas le jour ! Steve avait donc organisé une petite fête sans même lui en parler ? Etait-il si fâché qu'il recherchait la compagnie des autres ?

Elle eut une grimace involontaire en ouvrant la porte. Quel bruit ! Tous leurs voisins et amis étaient là et paraissaient s'amuser beaucoup. A travers la fumée de cigarette, elle vit toutes les têtes se tourner vers elle. La conversation s'arrêta comme si elle était un trouble-fête dans sa propre maison.

— Eh bien ! Il y a du monde ici, murmura-t-elle.

Elle se faisait l'effet d'être une institutrice qui découvre les élèves en train de chahuter en son absence.

— Salut, Gayle !

— Comment vas-tu ?

— D'où viens-tu à une heure pareille ?

Les exclamations fusèrent. Puis, l'une après l'autre, toutes les têtes se détournèrent et la conversation reprit comme si elle n'existait pas.

Elle faillit suivre son impulsion : aller dormir ailleurs. Comment Steve pouvait-il lui faire une chose pareille ? Il ne lui avait rien dit quand elle avait téléphoné vers six heures trente. En fait, il ne lui avait pas dit grand-chose.

Avec lassitude, elle laissa tomber ses livres sur la table et enleva sa veste. Elle n'appréciait vraiment pas que son brillant époux eût le temps de s'amuser quand elle devait travailler aussi dur. C'était trop injuste ! Elle allait lui faire part de sa façon de penser. Mais où était-il ?

A cet instant, Phil émergea de la cuisine. Il aperçut Gayle et lui offrit une bière.

— Non, merci, Phil. Je ne pourrais pas, lui répondit-elle en portant les mains à ses tempes.

— Steve est au fourneau. Il nous a invités à manger une pizza. J'espère que cela ne t'ennuie pas...

Elle aimait bien Phil. Pour le mettre à l'aise elle réussit à ébaucher un sourire. Tout de même, elle ne voulait pas avoir l'air de les jeter dehors. Mais elle se sentait si fatiguée ce soir ! Et cette migraine !

Soudain, elle entendit la voix de Steve.

— Ça y est, les enfants ! Venez vous servir !

La voix d'Ingrid ajouta :

— Steve et moi, nous venons de confectionner la pizza du siècle !

Gayle se dirigea vers la cuisine. Impatient, Doug, suivi d'une petite blonde qu'elle ne connaissait pas, passa devant elle en la bousculant légèrement.

Appuyée au chambranle de la porte, elle aperçut d'abord Ingrid, ravissante et très femme d'intérieur. Elle tendait à Steve une assiette en carton. Celui-ci y déposa une part de pizza au fromage fondant. Un intense sentiment de solitude envahit Gayle. Voilà donc ce qu'éprouvait Steve quand il la regardait bavarder avec King ?

Il finit par lever la tête et il l'aperçut.

— Bonsoir, ma chérie ! J'espérais que tu arriverais au bon moment.

Il était tout joyeux. Un torchon de vaisselle autour des hanches en guise de tablier soulignait sa minceur. Comment pouvait-il être toujours aussi séduisant quand elle avait l'impression d'être laide à faire peur !

— Tu sais, s'exclama Ingrid, je crois que ton mari aurait pu être un grand chef !

— « J'aurais pu », que veux-tu dire ? plaisanta Steve.

Doug se tourna vers Gayle.

— Je te présente mon amie, Valérie.

— Bonjour.

— Nous nous amusons comme des fous ! Habitez-vous aussi dans l'immeuble ?

— Je suis ici chez moi.

Le ton était sec. Brusquement, Gayle eut envie de se précipiter vers Steve et d'ajouter : Cet homme-là aussi est à moi !

— Oh ! Vous vivez ensemble ?

Sensible au malaise, Doug entraîna son amie au salon.

— Que dirais-tu d'une part de pizza, petite fleur ?

Il déposa un baiser sur sa joue.

— Non, merci. J'ai un mal de tête épouvantable.

— Pas de chance. Veux-tu de l'aspirine ? Je vais te préparer une infusion de menthe.

Tour à tour, les invités vinrent se servir. Gayle se laissa tenter par la pizza. A contrecœur, elle dut admettre qu'elle était savoureuse.

Pendant un moment, elle se sentit mieux. Mais la fumée de cigarette qui s'épaississait commença à lui piquer les yeux. Insouciante, Vera augmenta le volume de la musique. Si seulement leur appartement avait comporté une chambre à part, Gayle aurait pu s'excuser et se mettre au lit. Hélas, il lui faudrait assister à la soirée jusqu'au bout !

Enfin, peu après minuit, les invités s'éclipsèrent.

— J'ai cru qu'ils ne partiraient jamais !

— As-tu toujours mal à la tête ?

— Bien sûr, avec ce bruit et cette fumée ! Promets-moi de ne jamais recommencer une chose pareille !

— Que veux-tu dire ?

— Je ne supporte pas ce genre de surprise. Rentrer chez soi tard et fatiguée pour découvrir qu'une fête bat son plein. Je ne pouvais même pas aller me coucher !

— J'ignorais que tu ne te sentais pas bien.

— J'ai eu l'impression d'être une étrangère chez moi !

Les yeux de Steve étincelèrent.

— J'aimerais que tu me dises ce que je dois faire ! s'exclama-t-il. Toutes ces soirées que je passe en solitaire !

— Mais je...

— J'ai besoin de voir des visages de temps en temps, de me divertir un peu ! La compagnie des livres te suffit peut-être. Ce n'est pas mon cas.

Livide, Gayle demeura un instant muette. Son travail l'absorbait-elle au point de négliger totalement Steve ?

— Pourquoi ne m'as-tu pas prévenue ? Ce n'est pas juste de me mettre devant le fait accompli.

— J'ai travaillé jusqu'à neuf heures. Puis je me suis senti si seul que j'ai rendu visite aux amis.

— Si... seul ?

— Ingrid a parlé d'une recette de pâte à pizza. J'avais tous les ingrédients nécessaires à la maison. J'ai donc invité tout le monde. Cela dit, il n'est pas normal que tu sois aussi épuisée. Tu te surmènes, je te l'ai répété mille fois. Ta migraine n'est que la conséquence de ces efforts démesurés.

— Evidemment, c'est facile de critiquer. Toi, tu réussis sans avoir à bouger le petit doigt.

— C'est faux ! Je travaille beaucoup. Simplement, j'estime qu'on ne peut pas travailler tout le temps. N'oublie pas tes paroles, Gayle. Tu m'as recommandé de ne pas t'attendre pour me divertir un peu.

— Oui, mais... je ne parlais pas d'un dîner aussi tardif sans m'en avertir... au milieu de la semaine... chez nous.

— Bon, d'accord. Si tu essayais de rentrer un peu plus tôt de temps à autre ?

— Au prochain trimestre, je...

— Je ne parle pas du prochain trimestre, coupa Steve brutalement.

— Dès le mois de janvier, je tâcherai de mieux m'organiser, répéta-t-elle avec entêtement.

Ils échangèrent un regard sombre.

— Si tu ne tombes pas malade avant Noël! Si nous résistons jusque-là!

Faisait-il allusion à leur mariage? Tout de même, il ne pouvait pas douter d'eux!

— Tu tombes de fatigue. Va te coucher, je te rejoins.

Gayle plongea très vite dans un sommeil lourd et tourmenté. Quand elle s'éveilla, le lendemain, elle avait encore la migraine. Elle fut incapable de se souvenir des rêves qui avaient hanté sa nuit. Seul subsista un pénible sentiment de malaise.

10

La veille de son départ pour Duke, Steve invita Gayle dans le meilleur restaurant de la ville. Invoquant le manque de temps, elle avait commencé par décliner son offre, mais il était demeuré inébranlable.

Depuis le dîner improvisé, la tension entre eux s'était aggravée. Ils s'efforçaient de se comporter normalement l'un envers l'autre mais, à l'approche de la date fatidique, la jeune femme faisait preuve d'une nervosité croissante.

Galant, Steve s'était effacé pour laisser entrer Gayle dans la salle luxueuse éclairée par des chandeliers. Une fois de plus, il fut frappé par sa beauté gracieuse et fragile. Elle était presque trop mince. Ses magnifiques yeux de jade agrandis par la fatigue lui dévoraient le visage. Une vague de tendresse le submergea. Impulsivement, il plaça une main sur la frêle épaule tandis qu'ils suivaient le maître d'hôtel.

A cet instant, une voix enjouée s'éleva derrière eux.

— Les grands esprits se rencontrent, n'est-ce pas, Steve ?

Surpris, ce dernier tourna la tête et aperçut King et Libby Durant, assis à une table de quatre couverts.

— Bonsoir.

— Si vous dîniez avec nous ? proposa aussitôt King.

Consterné, Steve jeta un coup d'œil à Gayle. De toute évidence, flattée, elle avait très envie d'accepter l'invitation. Avec toute autre personne, il aurait déclaré sans hésitation la partie remise. C'était impossible avec King, sous peine de contrarier la jeune femme et d'offenser son professeur. Il ne put donc se soustraire et demeura courtois.

— Avec plaisir.

Très contrarié, il tira une chaise pour que Gayle pût s'asseoir en face de Libby, fort élégante ce soir-là. En conviant son épouse à un tête-à-tête, Steve avait espéré faire renaître leur ancienne complicité et oublier leurs différends avant son départ. Espoirs déçus. Résigné, il refoula ses aspirations romantiques et se plongea dans l'étude du menu.

En fait, la soirée se déroula assez agréablement. La table était excellente et la conversation s'établit plaisamment entre les deux couples. Une fois de plus, Steve ne put s'empêcher de noter à quel point l'entente entre Gayle et son professeur était parfaite. Ils évoquaient à tour de rôle des incidents cocasses survenus au laboratoire et riaient de concert. Amer, il songea au voyage en Caroline du Sud. Voilà qui alimenterait encore des souvenirs communs dont il serait exclu.

— Merci pour ce bon dîner, dit Gayle avec reconnaissance.

Ils venaient de se mettre au lit. Il la prit dans ses bras.

— Ce n'était pas tout à fait ce que j'avais prévu.

Il la regardait intensément.

— Sais-tu combien tu vas me manquer ?

— Allons, tu verras, ces quatre jours vont passer très vite.

Tu te trompes, pensa-t-il. Pourtant il ne dit rien et se mit à la caresser. Ils s'aimèrent ce soir-là mais leur séparation imminente semblait dresser un mur entre eux.

Longtemps après que Gayle se fut endormie paisiblement entre ses bras, il resta éveillé, l'esprit tourmenté. Etait-elle sienne à jamais ? A quelles tentations serait-elle soumise à Duke ? Si seulement elle n'éprouvait pas cette folle admiration pour King... Fiévreusement, il resserra son étreinte.

Très tôt le lendemain matin, les Durant passèrent prendre Gayle. Steve porta sa valise jusqu'à la voiture. D'excellente humeur, King vint à leur rencontre pour les saluer.

Très vite, ce fut le moment du départ.

— Souviens-toi que je t'aime, petite fleur.

— Moi aussi mon amour, je t'aime.

Il l'embrassa et l'étreignit de toutes ses forces pendant quelques précieuses secondes.

— Je vous confie ma femme, déclara-t-il solennellement à King.

— Ne vous inquiétez pas.

L'auto s'éloigna. Du bout des doigts, Gayle lui envoya un baiser derrière la vitre. Jamais il n'oublierait l'expression troublée de son visage. Jamais peut-être il ne l'avait plus aimée qu'en cet instant-là.

Le cœur rempli d'appréhension, il revint à l'appartement pour affronter les journées solitaires qui l'attendaient. Ce fut pire qu'il ne l'avait imaginé. Consciencieux, il travailla comme de coutume. Le soir, quand la solitude devenait intolérable, il rendait visite à leurs amis. Une fois il sortit à minuit en tenue de sport et courut jusqu'à l'épuisement.

Gayle lui téléphona le troisième jour. Hélas, la joie et l'exaltation contenues dans sa voix raffermirent sa jalousie. Une idée germa dans son esprit : dès son retour, il parlerait à King.

Le lendemain, il les regardait descendre la passerelle de l'avion et se diriger ensemble vers la porte d'arrivée, bavardant comme un couple au retour des vacances. Pourtant, dès que Gayle l'aperçut, elle vint se jeter dans ses bras et l'embrassa avec tendresse.

— Tu m'as manqué ! chuchota-t-elle.

— Moi, j'ai l'impression qu'il y a un siècle que tu es partie.

Les yeux clos, il l'étreignit, retrouvant avec ravissement son parfum de rose. Plus jamais ils ne se quitteraient.

— Je vous la ramène saine et sauve, déclara King.

A regret, Steve desserra son étreinte.

— Votre vol s'est bien passé ?

— Quelques turbulences entre Chicago et Madison, c'est tout.

Une demi-heure plus tard, les Weston déposèrent King chez lui. Enfin, ils se retrouvaient seuls !

— Alors ? Raconte !

— Euh... Tout s'est bien passé, répondit-elle d'un ton neutre.

Il lui saisit la main et la garda dans la sienne.

— As-tu rencontré des gens intéressants ?

— Oui. King m'a présentée à beaucoup de personnes dont la plupart étaient bardées de diplômes prestigieux.

— As-tu eu le trac au moment de prononcer ton discours ?

— Le trac ? J'étais pétrifiée ! Moi, Gayle Weston, qu'avais-je à apprendre à tous ces savants ?

— Au téléphone, tu m'as assuré que ta conférence s'était bien déroulée.

— C'est difficile à dire. Ce que je redoutais le plus, c'étaient les commentaires. En fait, on m'a posé des questions assez simples, sauf une particulièrement épineuse. King m'a certifié que je m'en étais bien tirée. Le soir, une dizaine de personnes au moins sont venues me féliciter pour mon intervention et parler avec moi de mes expériences. J'étais si contente !

— C'est formidable, ma chérie ! Je suis sûr que tu as été brillante.

— King m'a dit qu'il était fier de moi.

Et c'est la seule chose qui compte ! Dépité, il se tut. Il aurait tant voulu en savoir davantage ! King et elle avaient-ils passé toutes leurs soirées ensemble ? Seuls ou toujours en compagnie d'autres personnes ? Lui avait-il fait des avances ?

La jeune femme n'ouvrit plus la bouche sinon pour déclarer qu'elle était harassée. Apparemment, elle n'était guère pressée de lui donner des détails. Qu'avait-elle à lui cacher ?

Ce soir-là, quand il la prit dans ses bras, toutes les questions obsédantes demeurèrent en suspens dans sa tête. Après l'amour, Gayle sombra dans un profond sommeil et dormit jusqu'à dix heures le lendemain. Dès son réveil, elle se jeta à corps perdu dans ses révisions de biochimie. Cette fois, Steve décida de passer à l'action. Il était grand temps que le Dr Durant et lui aient une petite conversation !

Quelques jours plus tard, Steve qui venait de passer son dernier examen appela le bureau de Kingsley Durant. King acceptait-il d'aller boire une bière avec lui en fin d'après-midi ?

— Certainement. Passez donc me prendre au laboratoire vers cinq heures.

Ils se retrouvèrent comme convenu.

— King et moi avons rendez-vous, expliqua-t-il à Gayle stupéfaite.

— Pourquoi ce soudain intérêt pour lui ?

— Rien de spécial. Simple conversation entre hommes.

Elle lui jeta un regard soupçonneux. Que manigançait-il ?

Peu après, Steve et King étaient confortablement installés sur la banquette de chêne patiné dans la pénombre d'un des meilleurs bars de la ville.

La bière était bonne et King parfaitement détendu. Peut-être que la confrontation serait moins pénible que prévu. King n'avait certainement pas l'apparence d'un coupable. S'il tentait de donner le change, il y réussissait pleinement. Quel sang-froid !

— J'aimerais vous parler de Gayle, commença Steve. Je suis très inquiet à son sujet. Qu'en pensez-vous ?

Attentif, King but une gorgée de bière.

— Son intervention au congrès a été l'une des plus appréciées. Elle a également eu de très bons contacts avec les botanistes que je lui ai présentés. Ils ont tous été sensibles à son charme.

Vous y compris, songea Steve, les dents serrées...

Assise à sa table, Gayle essayait de se concentrer. Une peur panique l'envahissait chaque fois qu'elle songeait à l'épreuve du lendemain. Si elle échouait, il était probable que son poste d'assistante lui serait retiré. Que penseraient alors Steve et ses parents ?

En dépit de ses craintes, elle se surprit à jeter de fréquents coups d'œil à la pendule. De quoi pouvaient donc parler Steve et King depuis des heures ? Steve n'allait tout de même pas dire quoi que ce soit qui pût nuire à son travail avec King ? Si jamais il accusait son professeur de lui avoir fait des avances, elle en mourrait d'humiliation !

Vers huit heures, elle se prépara un sandwich au beurre de cacahuète et se remit à l'étude.

— Gayle travaille trop, reprit Steve.

— Oui, je l'ai remarqué moi aussi et je me suis demandé pourquoi.

— Je ne parviens pas à obtenir qu'elle se détende un peu.

— C'est comme si elle n'avait jamais appris à se décontracter, précisa King.

Soulagé, Steve le regardait. Le professeur avait adopté un ton plus paternel qu'amoureux.

— Ces derniers temps, je ne parviens même pas à la convaincre de se reposer un quart d'heure. Elle peut se montrer si obstinée !

— Et pourtant, même si elle est parfois timide, elle est capable de faire preuve de beaucoup de fantaisie, comme pour Halloween, par exemple. Ma petite Tracy l'adore.

Steve se souvenait fort bien que King avait paru charmé, voire séduit, par la fraîcheur et la beauté de Gayle ce soir-là.

— Oui, elle possède indiscutablement une gaieté

135

naturelle. Si seulement, elle l'exprimait davantage ! J'ai toujours su qu'elle était perfectionniste mais à ce point-là, c'est trop !

— En effet, elle est constamment sous tension, reprit King. Ce qui peut se comprendre : c'est son premier trimestre. L'entrée dans une très grande université comme la nôtre est une épreuve. J'ai tout d'abord pensé qu'elle passait par une période d'adaptation.

Méditatif, King se gratta le menton.

— En fait, je suis content que vous m'ayez téléphoné, Steve. Une autre bière ?

— Merci.

— Gayle est intelligente et douée. Elle possède de solides connaissances de base. Pour moi, il n'y a aucun doute : elle obtiendra son doctorat. Le problème, c'est qu'elle n'a pas suffisamment confiance en elle.

— C'est tout à fait mon sentiment.

Pourtant, se dit Steve en son for intérieur, ai-je vraiment réfléchi au problème sous cet angle ?

— Voilà pourquoi je lui ai demandé de donner cette conférence. Bien sûr, je savais qu'elle ferait du bon travail mais j'ai pensé que l'expérience contribuerait à accroître son assurance.

Si King disait la vérité, alors Steve pouvait se sentir ridicule au souvenir des soupçons et de la jalousie qui l'avaient dévoré pendant des semaines.

— C'est comme si elle avait quelque chose à prouver.

Etonné, Steve dut admettre que non seulement King avait très bien perçu Gayle mais qu'il semblait également sincèrement concerné par les problèmes de la jeune femme. En tout bien, tout honneur.

— Vous savez, elle ne cesse de parler de vous au laboratoire.

— Vraiment ?

— A l'écouter, vous avez tous les talents du monde. Elle est éperdument amoureuse de vous.

Abasourdi, Steve demeura sans voix.

— Dernièrement, une idée m'est venue à l'esprit. Dites-moi si je me trompe. Vous, vous êtes l'héritier de la Société Weston, n'est-ce pas ? Mais Gayle n'a-t-elle pas eu une enfance difficile ?

Steve lui expliqua qu'il avait vu juste.

— Je crois qu'elle essaie seulement d'être digne de vous, à l'image du brillant et séduisant économiste de la dynastie Weston. Plus j'y réfléchis, plus j'en suis convaincu. Quand nous étions à Duke, elle s'est confiée un peu à moi. Votre rencontre a été pour elle un éblouissement. Gayle a mis du temps à comprendre que vos intentions à son égard étaient sérieuses.

— Dès que je l'ai vue, j'ai su qu'elle serait ma femme !

— En tout cas, elle a été violemment impressionnée par le week-end à Neenah : à partir de là, elle s'est sentie d'autant plus complexée.

Incrédule, Steve s'efforça de réfléchir. Si King avait raison, pourquoi avait-elle préféré s'ouvrir à son professeur plutôt qu'à son mari ? Celui-ci répondit avant même qu'il n'ait formulé la question.

— Si elle est intimement persuadée d'être indigne de vous, comment voulez-vous qu'elle vienne vous le dire ? Elle aurait besoin d'être rassurée.

Steve commençait à y voir clair. Gayle ! Comment ne l'avait-il pas mieux comprise ? Et King ! Il l'avait totalement méjugé !

— Je suis d'accord avec vous, continuait le professeur. Tout serait beaucoup plus facile pour Gayle si elle apprenait à se détendre un peu.

— Dieu sait que je me tue à le lui répéter. Elle ne veut rien entendre.

— Moi aussi, j'ai essayé mais elle s'est mis dans la tête qu'elle devait gagner votre amour. Rien ne la fera changer d'idée.

— C'est absurde ! Je suis fou d'elle.

Pourtant, le raisonnement de King était cohérent ; tout le comportement de Gayle s'expliquait.

A partir de ce moment-là, Steve apprécia sans réticence la compagnie de King. Après une troisième bière, il passa aux aveux complets.

— Avec une femme aussi ravissante que la vôtre, on ne peut vous en vouloir d'être aussi férocement jaloux. Mais vous n'avez aucun souci à vous faire. Gayle est si amoureuse de vous que les autres hommes n'existent pas pour elle.

Finalement, ils décidèrent tous deux de rester dîner et continuèrent à bavarder comme des amis de toujours.

Quel idiot j'ai été, se disait Steve sur le chemin du retour. Saurait-il parler à Gayle ?

Au moins avait-il exorcisé ses vieux démons. Heureux, il allongea le pas. « Gayle est éperdument amoureuse de vous ! » Les mots dansaient dans sa tête. Gai comme il ne l'avait pas été depuis longtemps, il se remit à siffloter une de leurs chansons d'amour préférées.

11

Gayle sentait l'irritation la gagner peu à peu. Elle était là, à travailler dur en vue de l'examen final, tandis que les deux êtres dont elle s'efforçait de gagner l'estime bavardaient tranquillement dans un bar en vidant des chopes de bière. Non, c'était vraiment trop injuste !

D'abord, c'était la faute de King si elle avait choisi cette option difficile : la biochimie des végétaux. Ce soir, alors qu'elle essayait laborieusement de fixer les équations complexes dans sa mémoire, elle regrettait amèrement d'avoir suivi son conseil.

La colère bouillonnait en elle à tel point qu'elle ne parvenait plus à se concentrer. Il fallait en plus que Steve et King choisissent la veille de cette épreuve pour se retrouver. De quoi pouvaient-ils parler depuis des heures ? Steve se moquait bien de ses examens ! Et d'abord, de quel droit recherchait-il la compagnie de son directeur de thèse à elle ? Il était déjà la vedette de la section économie. Cela ne lui suffisait donc pas ?

Vers neuf heures, elle se brossa les cheveux et se

rafraîchit à l'eau de Cologne : inutile d'avoir une mine de papier mâché quand il rentrerait. Un café lui ferait du bien.

Peu avant dix heures, elle se sentait au bord de la crise de nerfs. Etait-elle victime d'une conspiration ? Elle se sentait harassée et trahie !

Enfin, elle entendit un sifflotement joyeux dans l'escalier. Steve ! Il était temps !

— Bonsoir, petite fleur ! Comment vas-tu ?

En plus, il était gai et décontracté !

— Mal ! D'abord, je me mords les doigts d'avoir choisi cette option : c'est la faute de King !

— Voyons, ne sois pas trop dure avec lui.

— Pourquoi ? Jamais je n'obtiendrai la moyenne.

— Allons, je parie que tu auras une bonne note. Tu dois te faire confiance !

Sur ces mots, il esquissa un pas de danse et vint lui planter un gros baiser sur le bout du nez. Puis il déposa un paquet devant elle.

— J'ai pris des hamburgers en passant.

— Non, merci. Je n'ai pas faim.

Ou plutôt, elle était de trop mauvaise humeur pour apprécier un repas.

— Que diable avez-vous fait, toi et King, depuis des heures ?

— Pas grand-chose. On a bavardé... C'est un homme formidable !

— Tiens ! Tu as changé d'opinion à son sujet.

Elle croisa les bras sur sa poitrine et se mit à observer attentivement son époux.

— Il y a du café frais dans la cuisine. Tu as l'air d'en avoir besoin.

— Merci, mais je me sens tellement bien que je n'ai pas l'intention de boire quoi que ce soit pour gâcher mon plaisir.

Là-dessus, il s'affala dans un fauteuil et sortit un hamburger dans lequel il mordit à pleines dents.

— Et, mis à part le fait que tu as bu beaucoup trop de bière, à quoi dois-je attribuer ces bonnes dispositions ?

— Je n'ai pas trop bu.

— Tu es éméché, Steve !

— Je me sens en grande forme !

— Bravo.

— Je te rapporterai plus tard ma conversation avec King, c'est promis. Ce soir, je sais que tu dois travailler.

— Justement. je n'ai pas pu me concentrer parce que je me demandais de quoi vous parliez et à quelle heure tu te déciderais à rentrer ! Tu as vraiment choisi ton jour !

— J'ai cru que tu serais si absorbée par tes révisions que je ne te manquerais pas.

— Tu crois peut-être que cela me fait plaisir de travailler jour et nuit !

Elle avait crié.

— J'imagine que non. C'est d'ailleurs ce dont j'aimerais discuter avec toi quand tu ne seras plus sous pression.

— Steve... Tu n'as porté aucune accusation contre lui, n'est-ce pas ? Tu n'as fait aucune allusion de mauvais goût ?

— Moi ? Bien sûr que non ! Jamais de la vie !

— Ah bon ! Dieu merci, murmura-t-elle en poussant un soupir de soulagement.

— Nous avons passé une excellente soirée.

— Ainsi, tout à coup, sans raison, vous vous entendez comme larrons en foire ?

— Ma foi...

Il bâilla à se décrocher la mâchoire.

— Je crois que je vais aller me coucher.

Gayle resta seule avec ses livres. Elle était furieuse quand Steve était rentré. Mais il l'avait complètement désarçonnée en refusant toute dispute. Dans l'état de nerfs où elle se trouvait, une querelle aurait été salutaire.

Quelque chose s'était produit. Comment expliquer autrement le changement d'attitude de Steve ? Intriguée au dernier degré, elle aurait donné n'importe quoi pour savoir ce qu'ils s'étaient dit.

En attendant, elle ne pouvait se permettre de perdre davantage de temps. Avec détermination, elle se remit au travail.

Un peu plus tard, quand elle se leva pour prendre un cahier, elle aperçut le corps nu de Steve couché à plat ventre en travers du lit. Dans son sommeil, il souriait encore. Bronzé et musclé, qu'il était beau ! Elle le recouvrit et sa main s'attarda presque malgré elle sur les cheveux dorés, sur la peau douce. Attendrie, elle dut faire un effort surhumain pour lutter contre l'impulsion qui la poussait à se blottir contre lui. Oublier fatigue, soucis et dormir, dormir...

Non. Les cours de biochimie l'attendaient. Avec un profond soupir, elle se replongea dans l'étude. Au matin, Steve la trouva sur le divan, son livre à la main.

Après un examen de trois heures, Gayle fit une sieste bien méritée. Pour célébrer la fin de ses épreuves, Steve l'emmena dîner au restaurant français de Madison. Si elle était évidemment fatiguée par ces mois d'efforts soutenus, l'exaltation due au soulagement compensait largement : les vacances de Noël l'attendaient.

Ce soir-là, ce fut Steve qui déshabilla avec douceur une Gayle à demi assoupie. Après l'amour, elle s'endormit comme un bébé.

Deux jours plus tard, elle se trouvait à la cafétéria de l'université en compagnie de King.

— Comment vous sentez-vous maintenant que le premier trimestre est passé ?

— Bien. Je n'ai pas encore récupéré, bien sûr. Steve et moi avons passé la matinée à faire nos achats de Noël. Nous partons pour Neenah demain. A propos, je voulais vous annoncer une bonne nouvelle : j'ai obtenu quinze sur vingt en biochimie.

— Bien !

— J'ose à peine y croire. Je me suis fait tant de souci pour cet examen.

— Maintenant, vous avez la preuve que vous pouvez surmonter vos difficultés et vos appréhensions.

— Le temps le dira.

— Il n'y a aucun doute. J'ai confiance en vous, vous obtiendrez votre doctorat.

A ces mots, Gayle frissonna de plaisir et de reconnaissance. Si quelqu'un savait de quoi il parlait, c'était bien le Dr Kingsley Durant.

— Cependant, il y a un point important : vous devez trouver un rythme de travail qui vous convient.

— Vous avez parlé à Steve, devina-t-elle aussitôt.

— A la fin du trimestre, tous les gens qui vous aiment se faisaient du souci pour vous, Steve particulièrement.

— J'ignore ce qu'il vous a dit exactement mais il est vrai que, par moments, sa sollicitude est un peu... étouffante.

— Peut-être. N'oubliez pas que Steve est follement amoureux de vous, Gayle. Il n'y en a pas deux comme lui.

Tout à coup, la jeune femme mesura les efforts de Steve pour apporter une solution à leurs problèmes. Aller trouver King n'avait pas dû être une résolution facile à prendre. Quel amour ! Elle qui l'avait si mal accueilli ce soir-là...

— Je sais, poursuivit King, combien il est aisé de se laisser totalement absorber par notre tâche. L'existence d'un chercheur est exigeante. Etablir un équilibre entre notre passion et les besoins de ceux que nous aimons est délicat.

— Que vous a confié Steve ? A-t-il été malheureux ces derniers mois ?

— Il ne l'a pas exprimé aussi clairement. Je pense qu'il a dû se sentir solitaire, abandonné parfois.

Une vague de culpabilité submergea Gayle.

— N'oubliez pas qu'il s'écoulera quatre ou cinq ans avant l'obtention de votre diplôme. C'est long. Il s'agit peut-être d'un risque que l'on doit calculer dans un couple.

— Je n'avais pas réfléchi en ces termes, murmura-t-elle. Sans Steve, ma vie n'aurait aucun sens.

— J'ai vu beaucoup d'étudiants brillants quitter l'université prématurément parce qu'ils tombaient malades ou victimes d'une dépression nerveuse due au surmenage. Il ne faut pas que cela vous arrive. Vous avez des qualités trop précieuses.

— Merci, King. J'apprécie que vous m'ayez parlé ainsi.

La dernière chose que souhaitait Gayle était de mettre en danger son mariage. Elle devait donc déterminer ses priorités.

Au cours de la journée, la jeune femme repensa

souvent à la conversation. Avait-elle été trop sévère avec elle-même ? Elle voulait tant réussir et se montrer digne de son époux ! Pendant les vacances, elle aurait le temps de la réflexion et pourrait faire le point. Elle s'en ouvrirait à Steve. A eux deux, ils trouveraient bien une solution.

12

Gayle s'étira paresseusement. Un pâle soleil d'hiver pénétrait dans la chambre de Steve, au troisième étage de la vaste maison. Frileuse, elle remonta les couvertures et se rendormit.

Le jour de leur arrivée, Steve avait déclaré que la jeune femme resterait au lit chaque matin selon son bon plaisir. Elle avait besoin de récupérer après les veillées studieuses qu'elle s'était imposées. Pour la même raison, ils étaient les premiers à quitter les réceptions où ils furent invités à plusieurs reprises. A minuit, Gayle était couchée, bon gré mal gré.

Une heure plus tard, elle s'éveilla et, pour la centième fois au moins, admira l'anneau d'or qui brillait à son doigt. Un bijoutier de Madison l'avait réalisé selon les recommandations de Steve : la bague avait une forme de fleur. Elle la fit glisser et, très émue, relut l'inscription gravée à l'intérieur : « A ma petite fleur, avec tout mon amour, Steve. »

Elle lui avait offert un superbe pull-over en laine et cachemire ainsi que des livres et des cassettes.

Elle revoyait son sourire ravi devant la pile de petits paquets...

La porte de la chambre s'ouvrit. Soucieux de ne pas faire de bruit, Steve marchait sur la pointe des pieds. Chaque matin, il se levait assez tôt pour prendre le petit déjeuner en compagnie de ses parents. Il était aujourd'hui la séduction même dans son pantalon beige et son nouveau pull-over noir. Gayle se redressa et lui tendit les bras. En une seconde, il fut près d'elle. Sa bouche fraîche chercha les lèvres de la jeune femme encore toutes chaudes de sommeil. Les doigts dans les cheveux blonds, elle l'étreignit et poussa un profond soupir de bien-être quand il frotta ses joues contre son cou. Frémissante, elle respira son odeur.

— Comme tu es belle ce matin, mon amour! Sais-tu ce dont j'ai envie? Je crois que je vais te rejoindre sous les couvertures!

Sous le regard radieux de Gayle, il retira ses vêtements et vint se glisser dans la tiédeur de ses bras.

— Je vais te montrer comme je t'aime.

Il se mit à couvrir son corps de baisers tendres et ardents, des épaules rondes au ventre plat. Longuement, il s'attarda sur la poitrine à la peau de satin. Haletante, Gayle frissonnait. Il releva la tête et la regarda intensément.

— Je me rappelle la première fois que je t'ai vue nue. Tu m'es apparue aussi belle qu'une fleur précieuse.

Elle buvait ses paroles. Tout l'amour du monde se reflétait dans les yeux verts.

— Je m'en souviens très bien. Est-ce donc ce qui justifie mon surnom?

— C'est l'une des raisons, parmi beaucoup d'autres. Et puis tu as toujours un parfum de fleur, où que mes lèvres se posent...

Elle eut un rire de gorge.

— Les fleurs sont comestibles, n'est-ce pas? demanda-t-il avec un sourire sensuel.

— Essaye!

— Je commencerai d'abord par la bouche.

Il joignit le geste à la parole. Avec un gémissement, Gayle s'accrocha à lui et serra de toutes ses forces le corps musclé contre le sien.

— Ne t'arrête pas, je t'en supplie.

Enhardie, elle perdait tout contrôle d'elle-même mais qu'importait? Quand Steve l'aimait ainsi, une fougue inouïe prenait possession de son être. Leur plaisir n'en était que plus intense. Elle avait l'impression de fondre à l'intérieur. Son corps enflammé bouillonnait de désir. L'ardeur de Steve se fit plus exigeante, ses mains et sa bouche plus indiscrètes encore... Elle sentit ses jambes passer entre les siennes, ses baisers devinrent de plus en plus brûlants, puis leurs corps se mêlèrent aussi intimement que possible.

— Ma petite fleur, mon amour, comme tu es belle!

Ils semblaient ne pouvoir se rassasier l'un de l'autre. En un irrésistible élan, Steve les emmenait tous deux vers un plaisir extrême, leurs sens au paroxysme d'une ivresse partagée. Combien de temps s'écoula-t-il? Gayle n'aurait su le dire.

Un peu plus tard, ils reposaient alanguis dans les bras l'un de l'autre.

— Pourquoi ne pas nous éveiller ainsi chaque matin? murmura Steve.

— Parce que nous avons quelques obligations universitaires, mon chéri.

— Alors, je vais en profiter pour te gâter encore. Que dirais-tu de prendre le petit déjeuner au lit ?

Quand Steve revint, portant un plateau joliment dressé, Gayle l'attendait sagement assise contre les oreillers. Elle avait revêtu un déshabillé vert amande et ses yeux avaient l'éclat de ceux d'une femme comblée.

— Voilà un service quatre étoiles !

— Si quelqu'un le mérite, ma chérie, c'est bien toi.

Il s'assit au pied du lit tandis qu'elle se versait une tasse de thé fumant.

— Tu sais, Steve, j'ai beaucoup réfléchi. Je n'ai pas très bien maîtrisé mon travail pendant ce premier trimestre. Je suis profondément désolée de t'avoir négligé. Dieu sait que je ne voulais pas que tu te sentes abandonné.

— Tout était nouveau pour toi, ma chérie. C'est vrai, je me suis senti esseulé certains soirs. Mais, tu me connais, je ne peux me passer de toi.

— De l'avis de King, je devrais me ménager un peu.

— A partir de maintenant, tu sais ce que l'on attend de toi, ni plus ni moins. Mon absurde jalousie n'a pas arrangé les choses. Que veux-tu ? A cause de ton admiration pour ton professeur, il est devenu à mes yeux un rival.

— Idiot ! murmura-t-elle avec tendresse. King et moi, nous faisons équipe, c'est tout. Mais à présent je promets d'organiser mon travail.

— Te rends-tu compte à quel point je suis fier de toi, Gayle ? Dans tous les domaines : fier de ta délicatesse, de ta beauté...

Il existait des mots si simples que la jeune femme avait besoin d'entendre. Elle eut un petit sourire pudique. Quelque chose commençait à fondre en elle.

— Je me suis senti fier de toi à toutes les soirées où nous sommes allés à Neenah. Comme la première fois où nous sommes sortis ensemble. King m'a dit que tu t'étais montrée particulièrement brillante à Duke. Je suis fier de tes prouesses... mais comprends-moi : je me félicite de t'avoir pour femme et je m'en féliciterai toujours, quoi qu'il arrive. Je t'aime pour ce que tu es, Gayle.

Bouleversée, elle le regardait, les yeux brillants de larmes.

— Tu sais, autrefois j'ai fréquenté quelques jeunes filles de Neenah, sans jamais m'attacher vraiment.

— Pourtant, Steve, elles me paraissent si séduisantes, si sûres d'elles.

— Justement, elles ne m'intéressaient pas à cause de cette aisance trop froide. Quand je t'ai rencontrée, elles m'ont semblé d'autant plus vides et ennuyeuses. Par contraste, tu étais si fraîche, si naturelle !

— Moi qui me demandais pourquoi tu m'avais choisie entre toutes pour être ta femme !

— Il y a aussi autre chose : j'ai toujours refusé de suivre les traces de mon père. Prendre la relève des Weston ne m'a jamais tenté. Je voulais me réaliser par moi-même.

Nerveux, Steve se leva et se mit à marcher de long en large.

— Papa n'a jamais admis que je puisse nourrir d'autres ambitions que les siennes : il voulait que j'entre dans la société.

— C'est curieux, dit Gayle. Finalement, nous n'acceptons ni l'un ni l'autre nos origines. Moi, je n'avais pas de problèmes à cet égard avant notre rencontre. Tu m'es apparu nanti de toutes les perfections. Tu étais tout ce que je n'étais pas. Quand nous sommes venus ici la première fois, j'ai été bouleversée. J'ai pensé : jamais je ne pourrai être l'épouse que ses parents souhaitent pour leur fils. Je n'étais pas celle qu'il te fallait.

— Oh! Gayle! Tu as toujours été pour moi la femme idéale.

— Je me sentais si insignifiante. Seuls mes succès universitaires pouvaient me rendre digne de toi.

— En fait, plus tu travaillais avec acharnement, plus nous nous éloignions l'un de l'autre. Mais je comprends, tu sais. Moi, j'ai toujours cherché à être aimé pour moi-même. C'est pour cette raison que je t'ai tenue le plus longtemps possible dans l'ignorance de ma fortune. Je ne pouvais me résoudre à mettre en danger l'amour authentique que j'avais enfin rencontré.

Gayle repoussa les couvertures. Son négligé de soie flottant derrière elle, elle vint vers Steve et mit les bras autour de son cou.

— J'ai eu peur. Pour moi qui n'avais connu que des femmes intéressées, tu étais un cadeau du ciel. Je ne voulais courir aucun risque. Inconsciemment, je savais que cette découverte te perturberait.

Elle enfouit son visage contre sa poitrine.

— Oui. Je me suis mis dans la tête qu'il me fallait prouver à tout prix mes qualités d'épouse parfaite et brillante.

— Tu es une femme extraordinaire, petite fleur! Pour cette raison, j'avais du mal à imaginer que tu puisses m'aimer autant que je t'aime. D'où mes accès de jalousie envers King qui pouvait t'aider dans ta carrière. J'ai craint d'être remplacé.

Emue par sa confession, Gayle le serra contre elle avec ferveur.

— Steve, rien ne compte plus que toi dans ma vie, déclara-t-elle solennellement.

— Oh! Mon amour! Si tu savais à quel point j'ai besoin de te l'entendre dire.

Il se pencha sur elle. Toute la passion du monde était contenue dans son baiser, à la fois tendre et possessif.

— Steve, je vois clair en moi, maintenant. C'est toi qui m'importes plus que tout. Désormais, mes ambitions universitaires passeront au second plan.

— Gayle, je ne veux pas que tu renonces à tes aspirations. King m'a assuré que tu en avais l'étoffe.

— Bien sûr, je ne m'arrêterai pas en chemin. Mais je me rends compte à présent à quel point j'ai été folle de vouloir gagner ton amour et l'approbation de tes parents en réussissant mes examens.

— Ou en t'entêtant à réaliser un dîner compliqué.

— Oui, admit-elle avec humour. J'ai parfois la tête dure.

— En tout cas, nous devons une fière chandelle à King. Moi qui le prenais pour un odieux séducteur!

— Je suis contente que tu lui aies parlé avant qu'il ne soit trop tard.

— Il fallait que je fasse quelque chose!

Avec une tendresse infinie, il déposa un baiser léger sur ses paupières.

— Je vais demander à maman si elle a conservé la lettre que je lui ai écrite quelques semaines après notre rencontre.

Effectivement, après le déjeuner, Paula invita la jeune femme à la suivre dans sa chambre. D'un tiroir de son secrétaire, elle tira une enveloppe blanche sur laquelle Gayle reconnut aussitôt l'écriture familière.

« Chers parents,

« Je vous annonce une grande nouvelle ! J'ai rencontré la femme de ma vie. Elle est encore plus sensationnelle que dans mes rêves les plus fous.

« Elle s'appelle Gayle Kincaid. Elle a une licence de biologie et travaille pour le moment comme botaniste. Le plus drôle, c'est qu'elle ressemble à une fleur. Si douce, si réservée, si naturelle... Vous ne pourrez pas ne pas l'aimer. Elle a des yeux extraordinaires, verts comme le jade, un teint de rose et des cheveux noirs et bouclés. Elle est intelligente, a de l'humour et espère obtenir un jour son doctorat en botanique pour enseigner en faculté.

« Ses parents sont morts (son père était pharmacien dans une petite ville). Il ne lui reste qu'une sœur que j'ai déjà rencontrée à Dallas. Gayle ignore tout de la Société Weston. Je n'ai d'ailleurs pas l'intention de lui dire.

« Je sais que mon enthousiasme va vous paraître précipité mais je ne me reconnais plus depuis que je l'ai rencontrée. Les autres femmes n'existent plus pour moi. Je veux partager ma vie avec Gayle. C'est la femme que j'attendais depuis toujours et plus encore !

« Ne vous inquiétez pas. Je vais essayer de ne pas trop la bousculer, de lui laisser le temps de me connaître mais, si jamais elle refusait de m'épouser, je ne sais pas ce que je ferais !

« Souhaitez-moi bonne chance,

« Votre fils affectionné,

« Steve. »

Complètement bouleversée, Gayle leva des yeux noyés de larmes. Paula, jusque-là demeurée discrètement en arrière, lui sourit avec affection et lui tendit des mouchoirs en papier pour essuyer ses pleurs.

— Et nous vous avons aimée tout de suite. Pour vous-même et parce que notre fils était heureux avec vous.

— Oh ! Paula, je croyais que vous seriez déçue de ne pas voir Steve épouser une jeune fille de Neenah.

Paula ne put s'empêcher de rire.

— Il n'en a jamais exprimé l'intention. En ce qui nous concerne, nous les avons toutes vues grandir et connaissons leurs travers. Croyez-moi, nous nous sommes réjouis en lisant cette lettre. Je commençais à penser que jamais il ne serait amoureux.

— Il s'est pourtant déclaré très vite, murmura Gayle timidement.

— C'est parce qu'il avait enfin trouvé la femme de sa vie !

Paula serra affectueusement la main de Gayle.

— Après vous avoir rencontrée, nous n'avions qu'une crainte : que ferait Steve si jamais les choses ne marchaient pas entre vous ?

En son for intérieur, Gayle dut admettre qu'elle avait été sa pire ennemie. Sa jeunesse lui avait laissé un profond sentiment d'insécurité. Elle avait toujours sous-estimé ses mérites. La visite à Neenah avait renforcé cette tendance. Au lieu de s'en ouvrir à son mari, elle s'était repliée sur elle-même au point de se forger une vision faussée de la réalité. Quelle folie !

Dieu merci, grâce à Steve, ils s'étaient enfin découverts et compris. Quelle chance elle avait d'être mariée à un homme comme lui ! Ils allaient prendre un nouveau départ. Plus que jamais, elle se sentait amoureuse de son époux, plus profondément, plus richement. Vraiment, Steve Dudley Weston était un homme exceptionnel !

Cette nuit-là, ils s'aimèrent comme jamais encore auparavant. Les émotions de Gayle atteignirent une telle intensité qu'elle pleura de bonheur.

Dans la pénombre de leur chambre, étendue contre Steve endormi, elle songeait encore à cet amour si fort qui avait su triompher de toutes les difficultés. Comme ils avaient changé depuis le premier jour de leur arrivée à Madison ! Désormais, ils partageaient tout. Elle savait enfin combien il avait besoin d'elle pour donner le meilleur de lui-même. Rien dans son existence ne serait plus précieux. Ils étaient maintenant unis pour la vie, soudés l'un à l'autre pour l'éternité.

Ce livre de la *Série Amour* vous a plu. Découvrez les autres séries Duo qui vous enchanteront.

Romance, c'est la série tendre, la série du rêve et du merveilleux. C'est l'émotion, les paysages magnifiques, les sentiments troublants.
Romance, c'est un moment de bonheur.

Série Romance : 4 nouveaux titres par mois.

Désir, la série haute passion, vous propose l'histoire d'une rencontre extraordinaire entre deux êtres brûlants d'amour et de sensualité.
Désir vous fait vivre l'inoubliable.

Série Désir : 4 nouveaux titres par mois.

Harmonie vous entraîne dans les tourbillons d'une aventure pleine de péripéties.
Harmonie, ce sont 224 pages de surprises et d'amour, pour faire durer votre plaisir.

Série Harmonie : 4 nouveaux titres par mois.

Coup de foudre, une série pleine d'action, d'émotion et de sensualité, vous fera vivre les plus étonnantes surprises de l'amour.

Série Coup de foudre : 4 nouveaux titres par mois.

Série Amour : 2 nouveaux titres par mois.

LIZ EWING

Un amour si doux

Lui : Depuis le premier jour de leur rencontre, Bruce Mandrell, publicitaire renommé, aime Cheryl avec une ferveur qui ne s'est jamais démentie.

Elle : Quand elle pense à Bruce, à ses deux adorables enfants, à la maison qu'elle a aménagée elle-même, Cheryl se dit qu'elle est heureuse.

Entourée d'amour, de tendresse et de gaieté, elle oublie peu à peu qu'elle a renoncé à une carrière d'artiste – sculpture et bijouterie – pour laquelle elle était extraordinairement douée.

Et sans doute sa vie continuerait-elle de se dérouler dans la même harmonie si, un jour, contre toute attente, ne surgissait du passé un homme qui apporte avec lui le trouble et la menace.

Bruce et Cheryl sauront-ils affronter l'orage qui se prépare à l'horizon de leur bonheur ?

Série Amour

Ce mois-ci
Duo Série Romance

265 **Dangereuse tendresse** LYNNETTE MORLAND
    Au cœur de l'ouragan GINNA GRAY
267 **Un mariage de déraison** OLIVIA FERRELL
    Le bonheur dans tes bras ANNETTE BROADRICK

Duo Série Désir

133 **Les brumes du Saint-Laurent** ELAINE RACO CHASE
134 **Un bouquet de diamants** DIANA PALMER
135 **Jeux de masques** SARA FITZGERALD
136 **Amour, envoûte-moi** STEPHANIE JAMES

Duo Série Harmonie

73 **Captive de la tendresse** LINDA SHAW
74 **Les nuits de Vénus** JENNIFER WEST
75 **Une rose rouge pour un ange** ELIZABETH LOWELI
76 **Le cœur en fête** ERIN ST. CLAIRE

Duo Série Coup de foudre

17 **Rêve de star** LISA ST. JOHN
18 **Une passion tendre et sauvage** JENNIFER DALE
19 **L'inconnu de l'étang** FRANCINE SHORE
20 **As-tu peur de m'aimer?** ELLIE WINSLOW

Achevé d'imprimer sur les presses de l'Imprimerie Bussière
à Saint-Amand-Montrond (Cher)
le 29 juillet 1985. ISBN : 2-277-88042-6.
Nº 1800. Dépôt légal août 1985. Imprimé en France

Collections Duo
27, rue Cassette   75006 Paris
diffusion France et étranger   Flammarion